D1200103

RICHARD
ASSUIED

ANNE-MARIE
RAGOT

Coccinelle

Livre de Français

- LANGAGE ORAL
- LECTURE
- ÉTUDE DE LA LANGUE
- RÉDACTION

Cet ouvrage est rédigé avec
l'orthographe recommandée par
le ministère de l'Éducation nationale.

SOMMAIRE

* Tous les textes du livre sont disponibles en version audio dans le Manuel Numérique Enrichi.

ISBN : 978-2-218-98805-9

Les activités orales spécifiques sont travaillées dans les cahiers d'activités :
- s'exprimer, écouter et comprendre, raconter, lire à haute voix, dire la poésie
- développer les actes et les situations de parole de la vie quotidienne.

1 La rentrée, mon chat et moi

Marie-Hélène Delval, Vincent Mathy
« Mes premiers J'aime lire »,
Bayard Editions Jeunesse.

Drôle de rentrée (1)

La veille de la rentrée, j'étais un peu inquiet.
On avait déménagé juste avant l'été.
Dans la nouvelle école, je ne connaissais personne.

Mon chat, Mahou, a sauté sur mon lit
et s'est mis à ronronner. J'ai confié à mon chat :
– Tu sais, j'aimerais bien t'emmener
avec moi demain.
Ça me ferait au moins un copain.
Malheureusement, à l'école,
les animaux sont interdits.

Mahou a ronronné plus fort,
l'air de dire :
« Tout ira bien, tu verras. »
Et j'ai fini par m'endormir.

1. Qui raconte cette histoire ? Un garçon ou une fille ?
2. À quel moment de l'année se passe cette histoire ?
3. À quel moment de la journée se passe cette histoire ?
4. Pourquoi le héros de l'histoire n'a-t-il pas de copain à l'école ?
5. Avec qui aimerait-il aller à l'école ?
6. D'après toi, pourquoi les animaux sont-ils interdits à l'école ?

- **la veille** : le jour juste avant.
- **j'étais un peu inquiet** : j'avais un peu peur, je me faisais du souci.
- **on avait déménagé** : on avait changé de maison.
- **j'ai confié** : j'ai dit un secret.

Le son /y/ comme dans **lunettes**
Le son /u/ comme à la fin de **chou**

Saperlipopette !
J'ai perdu mes lunettes !
Je les ai cherchées partout,
dans la rue,
dans la cour,
sur le mur,
sous les choux.
Je me suis mis à genoux
pour regarder dans les trous.
Ne cherche plus,
Zazou farfelu tout fou !
Elles sont suspendues
autour de ton cou.

1. **Cherche les mots de la comptine dans lesquels tu entends le son /y/ comme dans *lunettes*.**
   Compte les syllabes.
   Classe les mots dans le tableau.

1 syllabe	2 syllabes	3 syllabes
	perdu	

2. **Continue ton tableau :**
   Marque avec un point rouge la place du son dans la syllabe.
   Entoure la lettre qui écrit le son.

1 syllabe	2 syllabes	3 syllabes
	perd[u]	

3. **Fais le même travail pour le son /u/ comme dans *chou*.**

1 syllabe	2 syllabes
	partout

1 syllabe	2 syllabes
	part[ou]t

Je retiens

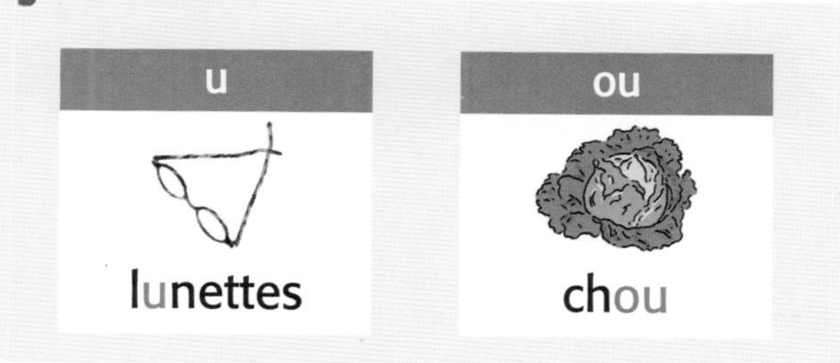

LECTURE

1 La rentrée, mon chat et moi

Drôle de rentrée (2)

Le lendemain matin, je suis entré dans ma nouvelle classe. La maitresse était une petite dame ronde avec de grosses lunettes.
On s'est assis, et elle a dit :
– Bonjour, les enfants ! Pour bien commencer la journée, je vais vous lire une poésie.
Elle a ouvert un livre et elle a lu :
Une fourmi de dix-huit mètres
Avec un chapeau sur la tête,
Ça n'existe pas...

À ce moment-là, on a gratté à la porte. La maitresse a demandé :
– Oui ? Qu'est-ce que c'est ?

1. Présente la maitresse de cette classe.
2. Comment commence la première journée de classe ?
3. Avec ta main, montre :
   – comment on gratte à la porte
   – comment on frappe à la porte.
4. D'après toi, qui a gratté à la porte ?
5. Lis ce texte avec un camarade ou une camarade :
   – tu racontes l'histoire
   – ton camarade ou ta camarade joue le rôle de la maitresse.

   Puis échangez vos rôles.

cahier 1 p. 8

Le son /wa/ comme dans étoile

Dans la nuit noire,
au-dessus du bois,
un oiseau de proie
a doucement attrapé
une étoile qui filait.
Il l'a posée dans la mer.

Au secours ! J'ai froid !
Je me noie !

Un poisson couleur de soie
qui rentrait d'un long voyage
a glissé entre ses doigts
une caresse légère.
C'est ainsi qu'est née, je crois,
la première étoile de mer.

1. **Cherche les mots de la comptine dans lesquels tu entends le son /wa/ comme dans *étoile*.**
Compte les syllabes.
Classe les mots dans le tableau.

1 syllabe	2 syllabes	3 syllabes
	noire	

2. **Continue ton tableau :**
Marque avec un point rouge la place du son dans la syllabe.
Entoure les lettres qui écrivent le son.

1 syllabe	2 syllabes	3 syllabes
	n[oi]re	

J'apprends à écrire les mots outils.

autrefois – voici
voilà – pourquoi

Je retiens

Le son /wa/ s'écrit de deux façons.

oi	oy
 étoile	voyage

1 La rentrée, mon chat et moi

Drôle de rentrée (3)

La porte s'est ouverte, et un chien est entré.
La maitresse a dit :
– Tu es en retard ! Comment t'appelles-tu ?
– Ouaf ! a fait le chien.
– Eh bien, va vite t'asseoir, Ouaf !
J'ai pensé que la maitresse était très myope.

Ouaf s'est assis, il a posé ses pattes
de devant sur la table et il a sorti
la langue, comme pour mieux écouter.

La maitresse a dit :
– Très bien ! Reprenons !
Une fourmi de dix-huit mètres
Avec un chapeau sur la tête...

Là, on a entendu trois petits coups secs : toc toc toc !
La maitresse a demandé :
– Oui ? Qu'est-ce que c'est ?
La porte s'est ouverte, et un perroquet est entré.

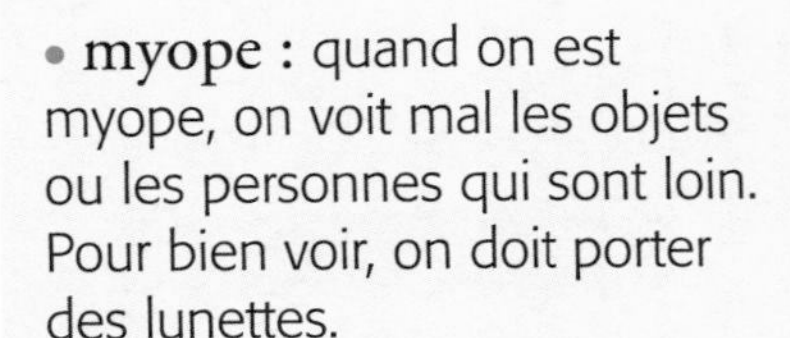

- **myope** : quand on est myope, on voit mal les objets ou les personnes qui sont loin. Pour bien voir, on doit porter des lunettes.
- **reprenons** : recommençons.

1. **Pourquoi le garçon pense-t-il que la maitresse est très myope ?**
2. **D'après toi,**
   – le chien s'appelle-t-il vraiment Ouaf ?
   – Ouaf est-il un bon élève ? Dis pourquoi.
3. **Le perroquet a-t-il gratté à la porte ou frappé à la porte ?**
   Montre avec ta main ce qu'il a fait.
4. **Explique le titre : *Drôle de rentrée.***

cahier 1 p. 10

La phrase

1. **Sur le dessin, la maitresse dit deux phrases.**
– Comment commence la première phrase ? Comment finit-elle ?
– Comment commence la seconde phrase ? Comment finit-elle ?
2. **Combien de phrases dit le garçon ? Justifie ta réponse.**
3. **Combien de points différents vois-tu dans ces bulles ?**

Je retiens

- Quand je parle, je fais des phrases.
- Quand j'écris, je n'oublie pas
  – de commencer la phrase par **une majuscule**,
  – de terminer la phrase par **un point**.

À suivre...

1 Combien de phrases y a-t-il dans ce texte ? Combien de points ?

À l'école des chiens policiers, la journée débute par une promenade en forêt. Puis les exercices commencent. Le chien apprend à reconnaitre les odeurs. Ensuite il doit retrouver un objet caché. Il se prépare à rechercher un enfant ou un adulte perdu.

2 Je sépare les phrases par //.

Sylvia est sportive. Elle court vite sur 100 mètres ! Demain, elle participe à un championnat cadet. Nous espérons tous qu'elle gagnera !

3 J'ajoute les majuscules et les points, puis je lis les phrases.

aujourd'hui la mer est calme // l'eau est chaude // c'est une journée idéale pour se baigner // il faut sortir les maillots de bain

1 La rentrée, mon chat et moi

Drôles d'élèves (1)

En voyant entrer le perroquet, la maitresse a dit :
– Tu es en retard, toi aussi. Comment t'appelles-tu ?
– Jacquooooot ! a fait l'oiseau.
– Eh bien, va vite t'asseoir, Jacquot.
Le perroquet est allé se percher sur une table,
et il a penché la tête comme pour mieux écouter.
Sans s'étonner, la maitresse a repris :
Une fourmi de dix-huit mètres...

Cette fois, on a cogné très fort sur la porte :
boum boum boum !
– Oui ? a crié la maitresse. Qu'est-ce que c'est ?
La porte s'est ouverte, et un âne est entré.
La maitresse s'est exclamée :
– Tu es vraiment très en retard, toi !
Comment t'appelles-tu ?
– Hi han ! a fait l'âne.
– Tu es bien grand, Hihan. Va vite t'asseoir au fond !
De toute façon, il n'y a plus de place devant.
Et ne crie pas si fort, je ne suis pas sourde.

- **il est allé se percher :** il est allé se poser en hauteur. Comment fais-tu quand tu joues à « chat perché » ?
- **elle s'est exclamée :** elle a dit d'une voix très forte.

1. **Que fait le perroquet quand il entre en classe ?**
2. **Retrouve à la page 6, à la page 8 et sur cette page la poésie que la maitresse veut lire aux élèves. Que se passe-t-il ? Explique ce que tu comprends.**
3. **Relève les mots qui font comprendre**
   – que l'âne fait beaucoup de bruit
   – que la maitresse commence à s'énerver.
4. **Pourquoi l'âne doit-il aller s'asseoir au fond de la classe ?**

cahier 1 p. 11

Le passé, le présent, le futur

En forêt,
nous avons photographié des arbres.
Nous avons ramassé des feuilles.

Nous mettons les photos en ordre.
Nous gardons les plus belles feuilles.

Nous les montrerons à nos parents. Nous ferons une belle exposition.

- Quelles phrases font comprendre ce qui se passe maintenant ?
  Que s'est-il passé avant ?
  Que se passera-t-il après ?

Je retiens

- **Avant**, c'est le **passé**.
- **Maintenant**, c'est le **présent**.
- **Après**, c'est le **futur**.

À suivre...

1 Pour chaque phrase, je dis si elle parle du passé, du présent ou du futur.

– Est-ce que tu as aimé ton livre ?
– Oui, je te le prête si tu veux.

– Le gâteau est cuit.
– Je pourrai en avoir au gouter ?

– J'ai trouvé un drôle d'escargot.
– Tu me le montreras ?

– Qu'est-ce que tu fais ?
– Mahou a cassé un bol.
Je ramasse les morceaux.

2 Je recopie la phrase qui parle du présent.

L'automobiliste a freiné.
La voiture s'arrête au feu rouge.
Elle repartira au feu vert.

3 Je recopie la phrase qui parle du futur.

Ma grand-mère a fait un voyage en Italie.
Elle nous a envoyé une carte postale.
Elle viendra bientôt nous voir.
Je suis contente !

LECTURE

1 La rentrée, mon chat et moi

Drôles d'élèves (2)

J'ai pensé que la maitresse n'était
peut-être pas sourde,
mais qu'elle était vraiment
très myope. J'ai pensé aussi :
« Puisque c'est comme ça, demain,
je pourrai peut-être
amener mon chat à l'école ? »
J'imaginais déjà la maitresse lui
disant :
« Tu as une journée de retard,
Mahou ! Enfin, va vite t'asseoir ! »

La maitresse a repris pour
la quatrième fois :
Une fourmi de dix-huit mètres...

À ce moment-là, la sonnerie a retenti. C'était l'heure de la récré.
La sonnerie sonnait, sonnait. Elle n'arrêtait pas de sonner.
Alors, je me suis réveillé.
C'était mon réveil qui sonnait. J'avais rêvé, évidemment.
C'était ce matin, le vrai matin de la rentrée...

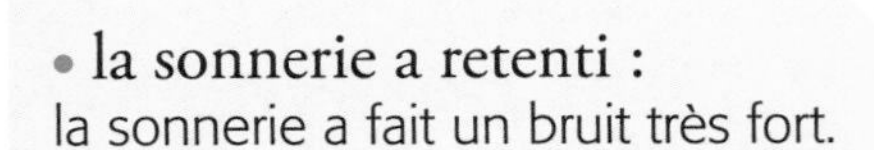

- la sonnerie a retenti : la sonnerie a fait un bruit très fort.
- évidemment : bien sûr, c'est certain.

1. Pourquoi le garçon pense-t-il qu'il pourra peut-être amener son chat à l'école ?
2. Quand la sonnerie retentit, le garçon va-t-il en récréation ?
3. Pourquoi le garçon est-il sûr d'avoir rêvé ? Raconte son rêve.
4. À ton avis, pourquoi a-t-il fait ce rêve ?

cahier 1 p. 12

Des mots pour le passé, le présent, le futur

EMPLOI DU TEMPS DU JOUR					
8 h 30 Poésie	9 h Mathématiques	10 h Récréation	10 h 20 Écriture	11 h Lecture	11 h 30 Sortie
13 h 30 Histoire	14 h 15 Exercices	15 h Récréation	15 h 20 Sport	16 h Musique	16 h 30 Sortie

1. Il est **10 h**. Je dis
   - ce que je fais : Maintenant… En ce moment…
   - ce que j'ai fait avant : Avant… Ce matin…
   - ce que je ferai après : Plus tard… Après… Cet après-midi…

LES ACTIVITÉS DE LA SEMAINE				
Lundi Chant	Mardi Bibliothèque	Mercredi Piscine	Jeudi Peinture	Vendredi Journal

2. Nous sommes **mardi**. Je dis
   - ce que je fais : Aujourd'hui…
   - ce que j'ai fait lundi : Lundi… Hier…
   - ce que je ferai mercredi : Mercredi… Demain…
   - ce que je ferai jeudi : Jeudi… Dans deux jours… Après-demain…

LES ACTIVITÉS DU MOIS DE SEPTEMBRE			
Semaine du 1er au 7 Madame Lia nous lit un conte	Semaine du 8 au 14 Sortie en forêt	Semaine du 15 au 21 Préparation de l'exposition	Semaine du 22 au 28 Exposition de photos et de feuilles

3. Nous sommes la semaine du 8 septembre. Je dis
   - ce que je fais cette semaine : Cette semaine…
   - ce que j'ai fait la semaine dernière : La semaine dernière…
   - ce que je ferai la semaine prochaine : La semaine prochaine…

Je retiens

Le passé	Le présent	Le futur
Avant	Maintenant, en ce moment	Après, plus tard
Hier, avant-hier	Aujourd'hui	Demain, après-demain
La semaine dernière	Cette semaine	La semaine prochaine
L'année dernière	Cette année	L'année prochaine
Il y a deux heures, trois jours, cinq semaines…		Dans deux heures, trois jours, cinq semaines…
Autrefois		Bientôt, dans l'avenir

LECTURE

2 La rentrée, mon chat et moi

Drôle de surprise… (1)

Je me suis levé, lavé, habillé. J'ai pris mon petit-déjeuner. Mahou ne me quittait pas d'une semelle.
De temps en temps, il demandait :
– Mahououou ?
Je lui répondais :
– Je sais, mon vieux ! Moi aussi, j'aimerais bien t'emmener ! Mais les animaux ne vont pas en classe, sauf dans les rêves…
Et je suis parti à l'école.
La maitresse ne ressemblait pas à celle de mon rêve : elle était grande, et elle ne portait pas de lunettes.

• Mahou ne me quittait pas d'une semelle : il restait tout près de moi, il me suivait partout.

1. À quel moment de la journée est-on au début du texte ? Que va-t-il se passer d'important ?
2. À ton avis, pourquoi le chat reste-t-il tout près du garçon ?
3. Relis ce que le garçon répond au chat et dis avec tes mots ce que le chat demande.
4. Retourne à la page 6. Comment était la maitresse du rêve ? Comment est la vraie maitresse ?

cahier 1 p. 18

Le son /z/ comme dans maison

Sur le mur de ma maison,
deux lézards
se reposent au soleil.
Le premier marche en zigzag
au milieu des liserons.
On dirait
qu'il a bu trop de rosée.
Le deuxième prend la fuite,
soudain, comme une fusée.
Bizarre !
Qu'est-ce qui l'a réveillé ?
A-t-il vu ce gros oiseau
qui s'est posé tout là-haut
au sommet du cerisier,
les deux ailes dépliées ?

1. **Cherche les mots de la comptine dans lesquels tu entends le son /z/ comme dans *maison*.**
   Compte les syllabes.
   Classe les mots dans le tableau.

2 syllabes	3 syllabes
maison	

2. **Continue ton tableau :**
   Marque avec un point rouge la place du son dans la syllabe.
   Entoure la lettre qui écrit le son.

2 syllabes	3 syllabes
mai[s]on	

Je retiens

Le son /z/ s'écrit de trois façons.

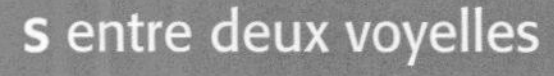

s entre deux voyelles

maison

z

lézard

quelquefois x

deuxième

- J'entends et je prononce aussi /z/ entre deux mots : c'est une liaison.

les arbres   deux ailes   un gros oiseau

2 La rentrée, mon chat et moi

Drôle de surprise… (2)

Sur son bureau, elle avait étalé des étiquettes
avec nos noms. Elle a demandé à chaque élève
de venir chercher son étiquette pour la poser
sur sa table.
J'ai tout de suite reconnu la mienne : *Damien Legrand.*
Au moment où je retournais à ma place,
on a frappé à la porte, exactement comme
dans mon rêve : toc toc toc !
Mon cœur a battu plus fort.
Comme dans mon rêve la maitresse a demandé :
– Oui ? Qu'est-ce que c'est ?

1. Comment s'appelle le garçon qui raconte cette histoire ?
2. Fais parler la maitresse : que dit-elle aux enfants pour commencer ?
3. Quand on frappe à la porte, Damien
   – a-t-il déjà trouvé son étiquette ?
   – est-il déjà assis à sa place ?
4. D'après toi, pourquoi le cœur de Damien a-t-il battu plus fort ?
5. Imagine : d'après toi, qui va ouvrir la porte ?
6. Damien est-il encore en train de rêver ?

• elle avait étalé des étiquettes : elle avait disposé les étiquettes les unes à côté des autres, sur tout le bureau.

cahier 1 p. 20

Le son /o/ comme à la fin de **vélo**
Le son /ɔ/ comme dans **pomme**

Dans le cartable de Léo
il y a une auto, un vélo,
un crapaud et un pinceau.
Et encore…
une pomme, un coq,
une tortue et un phoque,
une autruche et un gâteau.
Alors…
Dans le cartable de Léo,
bientôt,
il n'y aura plus de place
pour sa gomme et son stylo !

1. **Cherche les mots de la comptine dans lesquels tu entends /o/ comme à la fin de *vélo* ou /ɔ/ comme dans *pomme*.**
   Compte les syllabes.
   Classe les mots dans le tableau.

1 syllabe	2 syllabes	3 syllabes
	vélo pomme	

2. **Continue ton tableau :**
   Marque avec un point rouge la place du son dans la syllabe.
   Entoure la lettre ou les lettres qui écrivent le son.

1 syllabe	2 syllabes	3 syllabes
	vél[o] p[o]mme	

J'apprends à écrire les mots outils.

autrefois – aussi – trop – bientôt – alors – encore – comme – dehors

Je retiens

Les sons /o/ et /ɔ/ s'écrivent de quatre façons.

o		au	eau	quelquefois ô
 vélo	 pomme	 autruche	 gâteau	bientôt

2 La rentrée, mon chat et moi

Drôle de surprise… (3)

La porte s'est ouverte lentement.
J'ai retenu mon souffle. Et… un garçon est entré. La maitresse a dit :
– Bonjour. Comment t'appelles-tu ?
Le garçon était rouge et essoufflé.
Il a répondu :
– Je m'appelle Julien. Julien Verbois.
– Et pourquoi es-tu en retard, Julien ?
Le garçon a bafouillé :
– Ce n'est pas de ma faute, c'est mon père qui… parce que ma mère a…
La maitresse l'a interrompu :
– Va vite t'asseoir, Julien !
Tiens, il y a une place près de Damien.

- **il était essoufflé :** il respirait très vite. Il avait du mal à reprendre son souffle.
- **il a bafouillé :** il a parlé en hésitant, il ne trouvait pas ses mots.
- **La maitresse l'a interrompu :** elle lui a coupé la parole.

1. **Comment s'appelle le nouveau ?**
2. **D'après toi,**
   – pourquoi Julien est-il essoufflé ?
   – pourquoi a-t-il ouvert lentement la porte ?
3. **Pourquoi Julien va-t-il s'asseoir à côté de Damien ?**
4. **Relis le dernier paragraphe de la page 16. Puis joue toute la scène avec des camarades.**

cahier 1 p. 22

La ponctuation

1. Combien de phrases y a-t-il dans cette bande dessinée : 10 ? 11 ? 15 ? 18 ? Justifie ta réponse.
2. Joue cette scène avec un camarade ou une camarade. Pour bien jouer ton rôle, à quoi fais-tu attention :
   – dans les dessins ? – dans le texte ?

Je retiens

Les signes de ponctuation

À la fin de la phrase

. **le point**
? **le point d'interrogation** pour poser une question.
! **le point d'exclamation** pour montrer qu'on est surpris, excité, pour appeler…
… **les points de suspension** pour montrer qu'on n'a pas tout dit, qu'on hésite, qu'on réfléchit.

Après un point, une nouvelle phrase commence. Il faut penser à écrire une majuscule.

Dans la phrase

, **la virgule** pour marquer une petite pause, pour séparer des groupes de mots.

Après une virgule, la phrase continue, sans majuscule.

2 La rentrée, mon chat et moi

Drôle de surprise… (4)

Et Julien est venu s'asseoir à côté de moi. J'ai chuchoté :
– Pourquoi tu es retard, en vrai ?
Julien a répondu tout bas :
– Je ne voulais pas venir dans cette école. Je ne connais personne, ici.

La maitresse a dit, plutôt gentiment :
– Damien et Julien ! Ne commencez pas à bavarder !
On n'a rien dit pendant une minute. Puis j'ai repris à voix basse :
– Et alors, qu'est-ce que tu as fait ?
– J'ai fait toute une comédie ! J'ai pleuré, j'ai crié
que je ne viendrais pas sans Cricri.
– C'est qui, Cricri ?
– C'est mon hamster.

- J'ai chuchoté : j'ai dit à voix basse, j'ai murmuré.
- J'ai fait toute une comédie : j'ai fait un caprice.
- un hamster :

1. En classe, qui est le voisin de Julien ?
2. La maitresse est-elle sévère ?
3. Est-ce que Damien obéit à la maitresse ?
4. Tu sais maintenant beaucoup de choses sur Damien et sur Julien. Compare les deux enfants.

Le verbe (1)

Je caresse mon chat.

J'ai caressé mon chat.

Je caresserai mon chat.

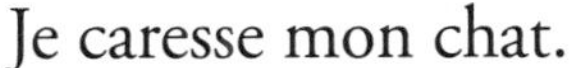

1. Quelle phrase fait comprendre que c'est passé ? que c'est en ce moment ? que ce sera plus tard ?
2. Quand tu regardes les images, comment comprends-tu que c'est passé ? que c'est en ce moment ? que ce sera plus tard ?
3. Compare les trois phrases. Qu'est-ce qui change ? Quels mots font comprendre que c'est passé ? que c'est en ce moment ? que ce sera plus tard ?

Je retiens

Le mot de la phrase qui change quand on parle du présent, du passé ou du futur s'appelle **le verbe**.
Quelquefois le verbe s'écrit avec deux mots : j'**ai caressé**.

À suivre...

1 J'encadre le verbe dans les phrases.

Julien est arrivé en retard.
Julien arrive en retard.
Julien arrivera en retard.

Damien bavarde avec Julien.
Damien bavardera avec Julien.
Damien a bavardé avec Julien.

Julien a un cartable à roulettes.
Julien avait un cartable à roulettes.
Julien aura un cartable à roulettes.

Je brosse mes dents après le repas.
Héléna brossera ses cheveux.
Hier, Léo a brossé ses chaussures.

2 Je recopie la phrase. Je la dis au passé et au futur. Puis j'encadre le verbe.

1. Un élève efface le tableau.
2. Les petits jouent dans la cour.
3. Nous rangeons nos affaires.
4. Lisa écrit la date sur son cahier.

3 Je complète la phrase trois fois avec un mot qui indique le temps et un verbe.

aujourd'hui – dans une semaine – avant-hier

rangeront – ont rangé – rangent

… les élèves … la bibliothèque.

2 La rentrée, mon chat et moi

Drôle de surprise... (5)

J'ai soufflé :
– Moi, j'aurais bien voulu amener Mahou, mon chat !
Julien s'est exclamé :
– Ah, ben non ! Tu ne pouvais pas amener ton chat,
il aurait bouffé mon hamster !
On s'est regardés, et on s'est mis à rire, mais à rire !
Cette fois, la maitresse s'est fâchée.
– Damien et Julien, si ça continue,
je vais vous séparer !
Alors tous les deux, on a compris
qu'on allait être de vrais copains.

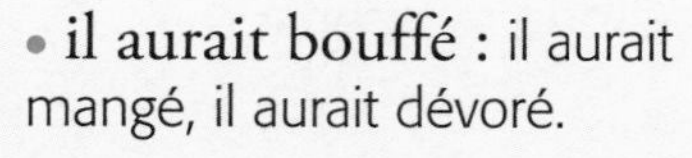

• **il aurait bouffé :** il aurait mangé, il aurait dévoré.

Bouffer est un mot du langage familier. Tu peux utiliser ce mot uniquement avec des camarades de ton âge.

• **la maitresse s'est fâchée :** elle s'est mise en colère.

1. **Lequel des deux enfants parle à voix basse ? Lequel parle à voix haute ?**
2. **Pourquoi la maitresse s'est-elle fâchée ?**
3. **Explique**
   – pourquoi Damien et Julien se sont mis à rire
   – pourquoi ils vont devenir de vrais copains.

cahier 1 p. 24

Les familles de mots

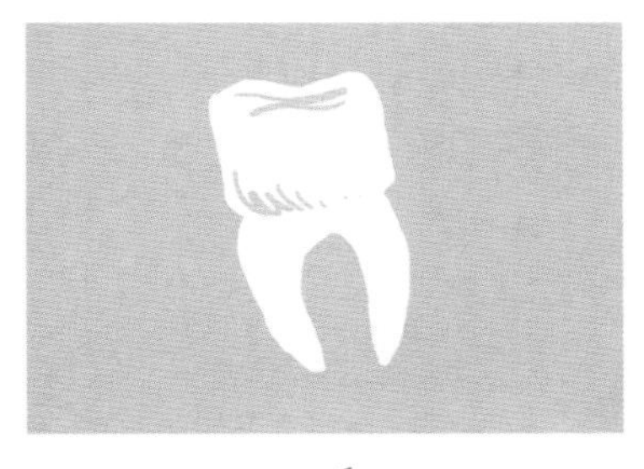

une dent

le dentifrice
Pour me brosser les dents, je mets du dentifrice sur ma brosse.

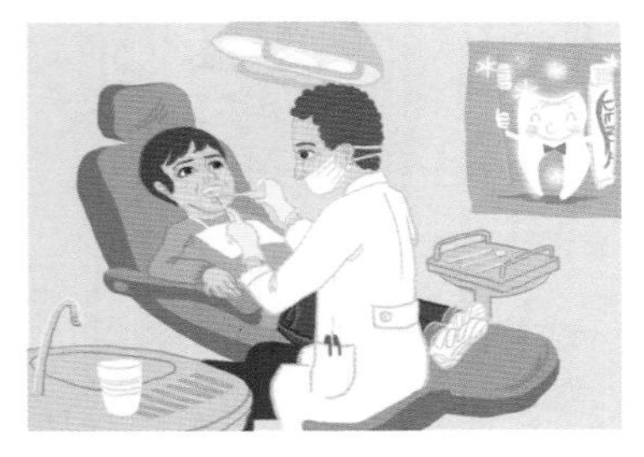

un dentiste
Quand j'ai mal aux dents, je vais chez le dentiste. Il me soigne.

1. Observe les trois mots. Que vois-tu ?
   Prononce-les. Qu'entends-tu ?
2. Ces trois mots font partie de la même famille. Explique pourquoi.
   Aide-toi des phrases qui sont sous les mots **dentifrice** et **dentiste**.
3. Entends-tu le son /**t**/ de la lettre *t* à la fin du mot **dent** ?
   L'entends-tu dans les mots de la famille ? Dans quelle syllabe ?
   À quel endroit de la syllabe ?

Je retiens

- Dans tous les **mots d'une famille**
  – on entend et on voit une partie commune
  – la partie commune s'écrit toujours de la même façon
  – on comprend que l'on parle toujours d'une même chose.
- Quand un mot se termine par une lettre muette,
  on entend souvent cette lettre dans les mots de sa famille.

1 Je cherche les mots de la même famille et je les recopie deux par deux.

coller	tour
plier	dessin
écrire	ligne
recopier	pli
entourer	cadre
souligner	écriture
peindre	copie
dessiner	colle
encadrer	peinture

2 Je cherche les mots de la même famille et je les recopie deux par deux.

laver	essoufflé
bavard	ralentir
question	interrogation
tard	lavabo
lent	questionner
souffle	rougir
s'exclamer	retarder
interroger	bavardage
rouge	exclamation

3 Qu'est-ce qu'une ville ?

Une ville, c'est grand !
Il y a beaucoup de rues,
des avenues et des places.
Il y a beaucoup d'habitants !
Ici, au fond, on voit la mer.
Notre oncle habite
dans un quartier
au bord de la mer.

Nous, nous habitons dans une ville
plus petite.
Au fond, on voit les montagnes.
Notre immeuble est au centre-ville.

- **une avenue** : une rue large, souvent bordée d'arbres.
- **une place** : un espace large, où plusieurs rues arrivent. La place est entourée de maisons.

cahier 1 p. 32

Le son /ɔ̃/ comme à la fin de **melon**

Sur le pont d'Avignon,
on y danse, on y danse,
sur le pont d'Avignon
on y danse tous en rond.

Sur le pont d'Avignon,
on y trouve, on y trouve
un chaton, un papillon,
des colombes et un mouton.

Sur le pont d'Avignon,
on y mange, on y mange
du melon, du potiron,
des compotes et des bonbons.

Avec mon crayon marron
je dessine, je dessine
une trompette et un violon
qui accompagnent ma chanson.

1. **Cherche les mots de la comptine dans lesquels tu entends le son /ɔ̃/ comme à la fin de *melon*.**
   Compte les syllabes.
   Classe les mots dans le tableau.

1 syllabe	2 syllabes	3 syllabes	4 syllabes
pont			

2. **Continue ton tableau :**
   Marque avec un point rouge la place du son dans la syllabe.
   Entoure les lettres qui écrivent le son.

1 syllabe	2 syllabes	3 syllabes	4 syllabes
p[on]t			

J'apprends à écrire des mots outils.

mon – ton – son

donc – non – sinon

Je retiens

Le son /ɔ̃/ s'écrit de deux façons.

on	om
 melon	 trompette

3 Qu'y a-t-il dans la rue ?

Notre rue s'appelle *rue de la Fontaine.*

Nous habitons une petite maison ancienne.

Sur notre trottoir il y a seulement des maisons.

En face de chez nous, de l'autre côté de la rue, on a construit un grand immeuble et des magasins.

Dans l'immeuble, les gens habitent dans des appartements.

Notre rue est étroite.

De notre fenêtre, on voit un panneau d'interdiction de stationner accroché au lampadaire.

Les clients des magasins garent leur voiture dans un parking souterrain.

Dans notre rue, nous connaissons tous nos voisins.

Les rues ont un nom, inscrit sur une plaque.

Le son /ɑ̃/ comme dans **balançoire**

Le vent souffle dans les champs,
c'est l'ouragan, la tempête.
L'amandier penche sa tête.
Je rentre vite en courant.

Impossible de jouer !
Balançoire ou toboggan,
trampoline ou cerf-volant,
je pourrais bien m'envoler !

Les deux pieds dans mes chaussons,
je passerai dans ma chambre
ce méchant jour de novembre
qui fait trembler ma maison.

1. **Cherche les mots de la comptine dans lesquels tu entends le son /ɑ̃/ comme dans *balançoire*.**
Compte les syllabes.
Classe les mots dans le tableau.

1 syllabe	2 syllabes	3 syllabes	4 syllabes
vent			

2. **Continue ton tableau :**
Marque avec un point rouge la place du son dans la syllabe.
Entoure les lettres qui écrivent le son.

1 syllabe	2 syllabes	3 syllabes	4 syllabes
v[en]t			

J'apprends à écrire des mots outils.

devant – pendant – quand – maintenant – comment – longtemps

Je retiens

Le son /ɑ̃/ s'écrit de quatre façons.

an	en	am	em
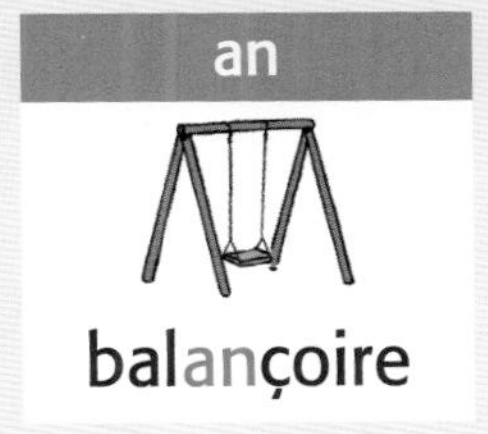 balançoire	 vent	 chambre	novembre

3 Qu'est-ce qu'un quartier ?

Notre quartier, c'est un petit morceau de la ville.
Il est tout près de la gare. On l'appelle le QUARTIER DE LA GARE.
Nous connaissons le boulanger, le boucher, les vendeurs de légumes et beaucoup de gens que nous rencontrons souvent.
Nous allons à l'école à pied. Nous retrouvons souvent nos copains dans la rue, au jardin, à la bibliothèque.

Nos parents aussi vont souvent à pied
faire les courses,
mettre une lettre à la poste
ou chercher de l'argent à la banque.
Notre quartier, on y est bien.

Dans notre quartier,
il y a une rue piétonne.

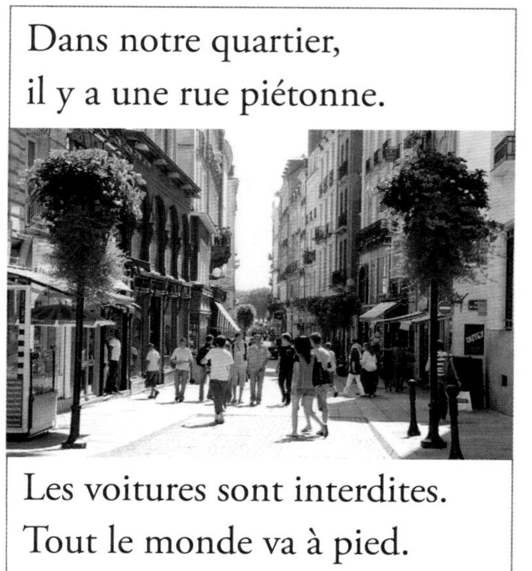

Les voitures sont interdites.
Tout le monde va à pied.

cahier 1 p. 36

Le singulier et le pluriel

La voiture est arrêtée.
Un enfant traverse la rue.
Une dame porte un sac.
Un pigeon picore des miettes.

Les voitures sont arrêtées.
Des enfants traversent la rue.
Une dame porte des sacs.
Des pigeons picorent des miettes.

- Lis les phrases. Regarde les dessins.
  Pourquoi les phrases de même couleur sont-elles différentes ?

Je retiens

- Quand je parle d'une seule personne, d'un seul animal, d'une seule chose, c'est **le singulier**.
- Quand je parle de plusieurs personnes, de plusieurs animaux, de plusieurs choses, c'est **le pluriel**.

À suivre...

1 Un seul ou plusieurs ?
Je lis, je fais une image dans ma tête.
Puis je classe les groupes de mots dans le tableau.

la rue – les trottoirs – des maisons
un magasin – un parc – des arbres
le vélo – une fontaine – des piétons
les taxis

singulier	pluriel
...	...

2 Je recopie les groupes de mots au pluriel.

un lampadaire – des vitrines
le garage – les poubelles – des barrières

3 Je recopie les groupes de mots au singulier.

un immeuble – l'entrée –
des étages – des appartements –
la terrasse

4 Je recopie la phrase qui parle de plusieurs bancs.

Trois enfants sont assis sur le banc.
Deux enfants sont assis sur les bancs.

5 Je recopie la phrase qui parle d'un seul piéton.

Le piéton attend pour traverser.
Les piétons attendent pour traverser.

LECTURE

3 Des bâtiments pour tous

La mairie

C'est la maison commune de tous les habitants. On l'appelle aussi **l'hôtel de ville.**
Le maire est élu. Avec ses conseillers, il prend des décisions pour la ville.

La gare

Les voyageurs partent et arrivent à la gare.
Les trains apportent aussi le courrier et des marchandises nécessaires à la ville.

La poste

On va à la poste pour envoyer des lettres et des colis.
Un facteur les apporte à un centre de tri. Ils sont ensuite expédiés à travers tout le pays ou vers d'autres pays.

L'hôpital

On va à l'hôpital quand on est blessé, quand on est malade ou quand on a besoin d'être opéré.

cahier 1 p. 37

Le verbe (2)

Je marche dans la rue.

Tu marches dans la rue.
Il marche dans la rue.
Elle marche dans la rue.

J'ai marché dans la rue.

Tu as marché dans la rue.
Il a marché dans la rue.
Elle a marché dans la rue.

Je marcherai dans la rue.

Tu marcheras dans la rue.
Il marchera dans la rue.
Elle marchera dans la rue.

Nous marchons dans la rue.

Vous marchez dans la rue.
Ils marchent dans la rue.
Elles marchent dans la rue.

Nous avons marché dans la rue.

Vous avez marché dans la rue.
Ils ont marché dans la rue.
Elles ont marché dans la rue.

Nous marcherons dans la rue.

Vous marcherez dans la rue.
Ils marcheront dans la rue.
Elles marcheront dans la rue.

1. **Lis les phrases ligne par ligne.**
   Retrouve ce que tu sais déjà : pourquoi le verbe change-t-il ?
2. **Lis maintenant les phrases en colonne.**
   – Qu'est-ce qui change dans la phrase ?
   – Qu'est-ce qui change dans le verbe ?
   – Qu'est-ce qui fait changer le verbe ?

Je retiens

- Le verbe change avec le temps et avec *je*, *tu*, *il*, *elle*, *nous*, *vous*, *ils*, *elles*.
  Cela s'appelle **la conjugaison du verbe**.
- *Je*, *tu*, *il*, *elle*, *nous*, *vous*, *ils*, *elles* sont des **pronoms de conjugaison**.
- Le pronom de conjugaison commande le verbe. C'est le **sujet du verbe**.
- *Je marche*, *j'ai marché*, *je marcherai*, c'est toujours le même verbe :
  le verbe *marcher*. *Marcher* est **l'infinitif** du verbe.

3 Comment se déplace-t-on en ville ?

La marche

Quand on doit faire un petit déplacement dans sa rue ou dans son quartier, on marche. C'est bon pour la santé !

Le vélo

Dans certaines villes, il y a des pistes cyclables : les cyclistes sont séparés des voitures et circulent sans risque.

La voiture

La circulation en ville est souvent difficile. Les embouteillages sont nombreux. Quand on s'arrête, il faut trouver une place pour se garer et payer le stationnement.

Les transports en commun

Les autobus, les trams transportent plusieurs dizaines de passagers. Ils suivent toujours le même chemin et s'arrêtent aux mêmes endroits. Les voyageurs doivent acheter un ticket pour payer le voyage.

Les taxis

Ces voitures sont bien utiles pour aller rapidement n'importe où dans la ville. Et à l'arrivée, il n'y a pas de problème de stationnement.

et encore…

la trottinette

la poussette **les rollers**

L'ordre alphabétique (1)

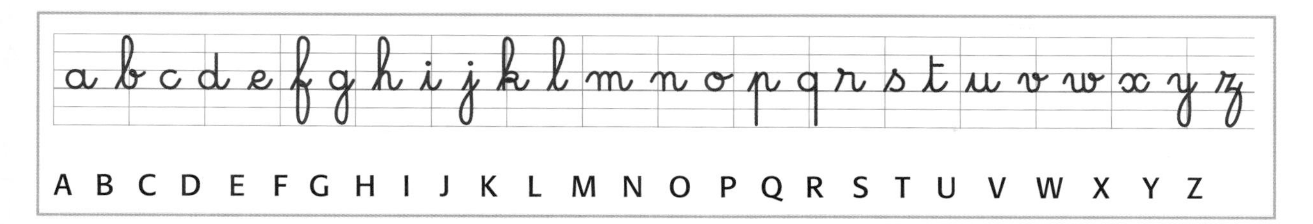

A B C D E F G H I J K L M N O P Q R S T U V W X Y Z

1. Tu connais le nom de toutes les lettres. Connais-tu bien leur ordre ?
   – Quelle lettre vient juste après **B** ?
   – Quelle lettre vient juste avant **K** ?
   – Quelle lettre vient après **M N O** ?
   – Quelle est la deuxième lettre de l'alphabet ?
   – Quelle est la dernière lettre de l'alphabet ?
2. Pose d'autres questions à tes camarades sur l'alphabet.

Je retiens

- Les lettres de l'alphabet sont rangées en ordre.
  L'ordre alphabétique, c'est l'ordre des lettres de l'alphabet.
- Dans l'alphabet, il y a 26 lettres :
  – 6 **voyelles** : **a, e, i, o, u, y**
  – 20 **consonnes**.
- Dans le dictionnaire, les mots sont rangés dans l'ordre alphabétique.
  Je dois le connaitre par cœur.

1 Quelle lettre vient juste après dans l'ordre alphabétique ?

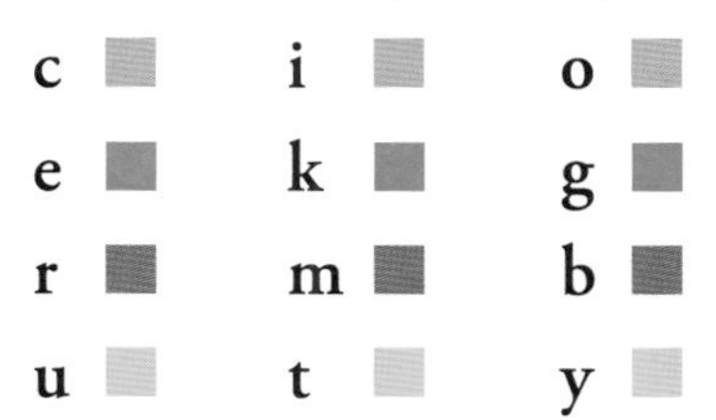

2 Je suis l'ordre alphabétique pour écrire les lettres qui manquent.

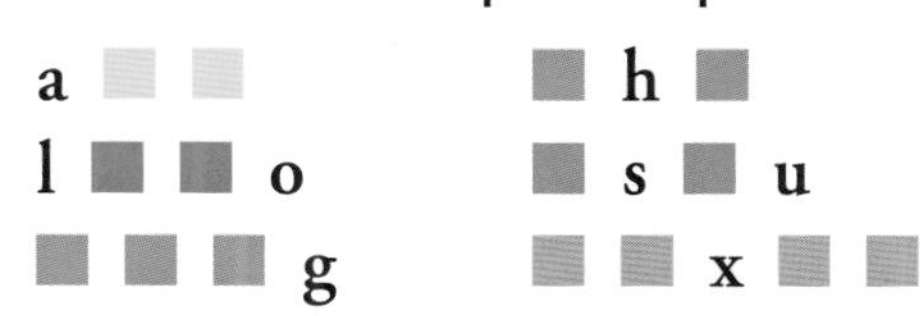

3 Quelle lettre vient juste avant dans l'ordre alphabétique ?

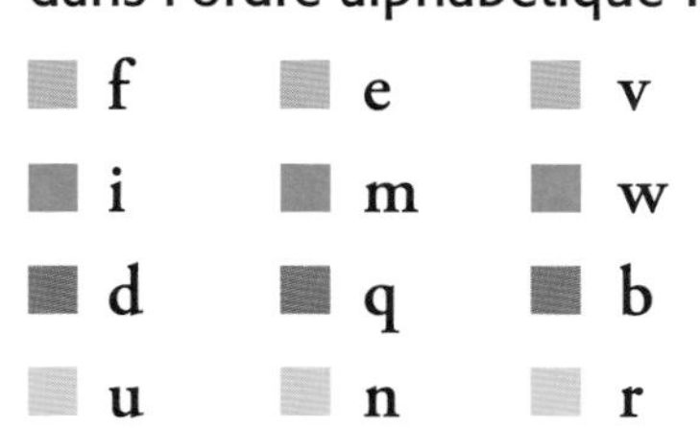

4 J'écris les lettres de ces mots dans l'ordre alphabétique.

rue → e r u
parc → …
maison → …

3 La ponctuation

La ponctuation aide le lecteur à lire et à comprendre.
Quand j'écris, je dois faire très attention à la ponctuation.

1 J'écris les signes de ponctuation que j'utilise pour aider mon lecteur
– à faire des petites pauses
– à comprendre que je pose une question
– à comprendre que je m'étonne.

2 Sur chaque ligne il y a deux phrases. Je sépare les phrases. Je choisis le point qui convient. Je n'oublie pas la majuscule.

1. Je vais à la bibliothèque est-ce que tu viens avec moi
2. Est-ce que c'est une bonne idée je pense que oui
3. Le bus n'est pas tout à fait plein combien de places reste-t-il
4. Dépêche-toi nous allons être en retard
5. Quelle bonne surprise de te voir comment vas-tu

3 Pour rendre ce texte facile à lire, je place les majuscules et les points.

quel vacarme dans la rue les moteurs ronflent un policier siffle des ouvriers cassent le trottoir avec un marteau-piqueur on entend la sirène d'une ambulance comment le petit Jules pourra-t-il s'endormir

4 L'enfant qui a copié ce texte a mal placé la ponctuation. Je retrouve les phrases, je place les majuscules, les points et les virgules.

Dans la ville on trouve. Des immeubles et des maisons des bureaux des.
Écoles des magasins et des hôpitaux, Où les enfants peuvent-ils jouer.
Dans les jardins publics il y a souvent un bac, à sable pour les petits.
Un toboggan et des balançoires pour les plus grands ?

Souvent, j'écris vite parce que j'ai beaucoup d'idées.
Quand j'ai fini, je me relis. Je vérifie mes phrases :
– elles commencent par une majuscule
– elles se terminent par un point
– quand elles sont longues, je mets des virgules.

J'apprends à construire une phrase pour l'écrire

1. J'observe le dessin. Je me demande ***où cela se passe-t-il ?***
   Où ? → dans un parc, dans un jardin

2. Je me demande ***qui ?***
   Qui ? → Marc, Lisa et Jules – trois enfants – ...
   Je trouve encore d'autres réponses à la question ***qui ?***

3. Je me demande ***que se passe-t-il ?***
   Que se passe-t-il ? → ils jouent au toboggan – ...
   Je trouve encore d'autres réponses à la question ***que se passe-t-il ?***

4. J'écris la phrase :
   Dans le parc, trois enfants jouent au toboggan.
   ou bien
   Dans le jardin, Marc, Lisa et Jules font du toboggan.
   Je construis une autre phrase avec mes réponses aux questions.

5. Je peux changer l'ordre des mots :
   Trois enfants jouent au toboggan dans le parc.
   Marc, Lisa et Jules font du toboggan dans le jardin.
   Je récris ma phrase : je change l'ordre de ses mots.

4 Comment être un piéton prudent ?

Le trottoir n’est pas une aire de jeux.
Je ne joue pas, je ne cours pas.
Je marche toujours au milieu du trottoir.

Quand je suis avec des amis sur un trottoir étroit, nous marchons l’un derrière l’autre, en file indienne.

Même sur le trottoir, il faut faire attention aux voitures. Je fais très attention aux sorties de garage.

Je traverse sur les passages piétons.
Avant de traverser, je regarde à gauche, à droite et encore une fois à gauche.
J’attends que les voitures s’arrêtent.
Je ne cours jamais pour traverser.

Quand il y a des feux, j’attends que le bonhomme soit vert et je traverse en faisant attention.

Un parking, c’est aussi dangereux que la rue.
Je ne joue jamais sur un parking.

Le son /ɛ̃/ comme dans **pinceau**

Un beau matin, monsieur Pépin
prend son chevalet, ses pinceaux
et va s'installer au zoo
devant le bassin des pingouins.

Avant de se mettre au dessin,
monsieur Pépin s'allonge un peu,
croise les mains, ferme les yeux
pour se reposer un instant.
Voilà qui est bien imprudent !

Bientôt, un singe plein d'entrain,
impertinent et très malin,
trempe sa queue dans la peinture,
et sans faire une éclaboussure
trace un immense serpentin.

Ah ! ah ! ah ! rit le gardien
qui fait sa ronde avec son chien.

1. **Cherche les mots de la comptine dans lesquels tu entends le son /ɛ̃/ comme dans *pinceau*.**
Compte les syllabes.
Classe les mots dans le tableau.

1 syllabe	2 syllabes	3 syllabes	4 syllabes
	matin		

2. **Continue ton tableau :**
Marque avec un point rouge la place du son dans la syllabe.
Entoure les lettres qui écrivent le son.

1 syllabe	2 syllabes	3 syllabes	4 syllabes
	mat[in]		

J'apprends à écrire des mots outils.

bien - bientôt - demain - enfin - maintenant - soudain

Je retiens

Le son /ɛ̃/ s'écrit de cinq façons.

in	im	ain	ein	en
 pinceau	imprudent	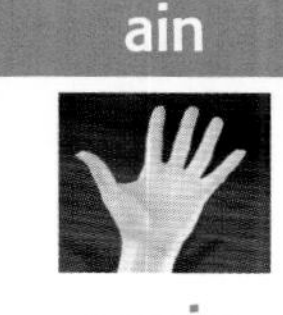 main	 peinture	 chien

À suivre...

4 Où peut-on se distraire en ville ?

Dans les parcs, on se promène au milieu des arbres et des fleurs. On peut courir, faire du vélo, s'asseoir sur un banc pour lire, se reposer, rêver ou parler avec des amis.

Dans les parcs, il y a souvent des aires de jeux pour les enfants.

On va au stade ou au gymnase pour pratiquer un sport, ou pour assister à un match.

On va à la piscine pour nager, mais aussi pour s'amuser à glisser du haut des immenses toboggans.

Les grandes personnes aiment aussi se retrouver au restaurant en famille ou avec des amis.

On est bien au cinéma, calé dans un fauteuil. Le film se déroule sur le grand écran. Tout autour, il fait sombre. C'est un peu comme si on était tout seul avec les héros.

cahier 1 p. 48

Quand écrit-on **am**, **em**, **om**, **im** ?

1. Je classe ces mots dans le tableau.
aventure – exemple – entrée – chambre – ampoule – calendrier – danger
encre – orange – amande – trampoline – jambe – décembre – champignon

an	en	am	em
...	...	...	...

J'entoure la lettre qui suit les écritures du son /ɑ̃/.

2. Je classe ces mots dans le tableau.
oncle – confiture – pompier – ombre
fontaine – trompette – ronde – nombre
colombe – monstre – compote

on	om
...	...

J'entoure la lettre qui suit les écritures du son /ɔ̃/.

3. Je classe ces mots dans le tableau.
singe – timbre – pinceau – grimper – cinq
impoli – linge – imprimerie – quinze

in	im
...	...

J'entoure la lettre qui suit les écritures du son /ɛ̃/.

4. J'observe les colonnes qui contiennent les écritures *am*, *em*, *om*, *im*.
– Quelles lettres trouve-t-on après ces écritures ?
– Trouve-t-on ces lettres après les écritures *an*, *en*, *on*, *in* ?

Je retiens

Devant les lettres **b** et **p**
– le son /ɑ̃/ s'écrit toujours **am** ou **em**
– le son /ɔ̃/ s'écrit toujours **om** mais on écrit *un bonbon*
– le son /ɛ̃/ s'écrit toujours **im**.

1 Je complète avec *an* ou *am*.

une or...ge – un ch...pion
un t...bour – dim...che
une l...pe – un b...c

2 Je complète avec *en* ou *em*.

ress...bler – ral...tir – p...ser
...porter – ...brasser
le v...t – le print...ps

3 Je complète avec *in* ou *im*.

une ...firmière – un p...gou...
un ...perméable – une ét...celle
s...ple – le chem... – le dess...
une ...vitation

4 Je complète avec *on* ou *om*.

un c...te – rac...ter – une ép...ge
c...pter – c...prendre – ...ze
une rép...se – la m...tagne

4 Où peut-on se cultiver en ville ?

Dans les rayons de la bibliothèque,
on trouve toutes sortes de livres
pour les adultes et les enfants :
des albums, des contes, des bandes
dessinées, des livres d'aventures,
de sciences, d'histoire …

La bibliothécaire donne des conseils.
Parfois, dans l'espace des enfants, elle lit une histoire.
On peut s'asseoir pour lire ou emprunter
un livre pour le lire à la maison.

Dans un musée, on découvre
des collections d'objets.
Il existe beaucoup de musées
différents : le musée des instruments
de musique, le musée du jouet,
le musée de l'aviation, le musée des
sciences, et bien d'autres encore !
Au musée de peinture, on admire
les tableaux de peintres célèbres.

Au théâtre, on regarde
et on écoute les acteurs qui jouent
une pièce sur la scène.
Le décor et les costumes
font comprendre où et quand
l'histoire se passe.

cahier 1 p. 50

Le nom et son déterminant

Pouvez-vous m'indiquer **une pharmacie** ?
Il y a **plusieurs pharmacies** dans **les rues** piétonnes.

Ces arbres sont magnifiques !
Oui, ils ont plus de **cent ans**.

J'ai perdu **mon sac** !
Avez-vous vu **un policier** ?

Mes valises sont lourdes. Est-ce que **le tram** va jusqu'à **l'hôtel** de **la plage** ?
Non, vous trouverez **des taxis** à **l'entrée** de **la gare**.

Attention, **deux vélos** !
Pourtant **les vélos** n'ont pas **le droit** de rouler sur **le trottoir**.

1. Classe les groupes de mots en gras.
2. Encadre les mots qui t'ont permis de classer.

singulier	pluriel
[une] pharmacie	…

Je retiens

- Les mots qui font comprendre que c'est le singulier ou le pluriel s'appellent **des déterminants.**
- **Le déterminant** commande le singulier et le pluriel du **nom.**
- **Le déterminant et le nom** forment **le groupe nominal.**

1 Je recopie les déterminants.

une voiture – des feux – un carrefour
ma maison – mes voisins – les toits

2 Je classe les déterminants : singulier ou pluriel ?

les – la – quatre – plusieurs – une
ta – des – ces – mon – le – l'

3 Je recopie les groupes de mots. J'écris D sous le déterminant, N sous le nom.

la gare – le train – des voyageurs
les quais – l'horloge – cinq wagons
nos valises – un conducteur
une locomotive – l'arrivée – le départ

4 Qui prend soin des habitants ?

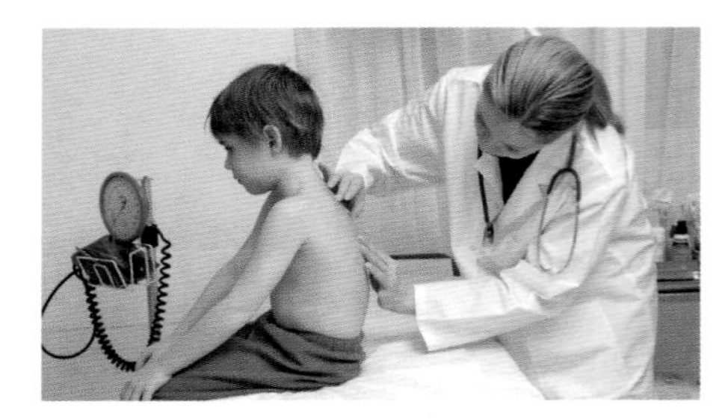

Le médecin reçoit les malades dans son cabinet. Il les écoute, il les examine, il leur explique ce qu'ils ont, ce qu'ils doivent faire pour guérir et il leur donne des médicaments.

Le pharmacien vend les médicaments prescrits par le médecin. Il donne aussi des conseils à des gens qui ont un rhume, ou mal à la gorge, ou d'autres petits bobos.

L'infirmière fait les pansements, les piqures. Elle va parfois soigner les malades chez eux et donner des soins aux personnes âgées.

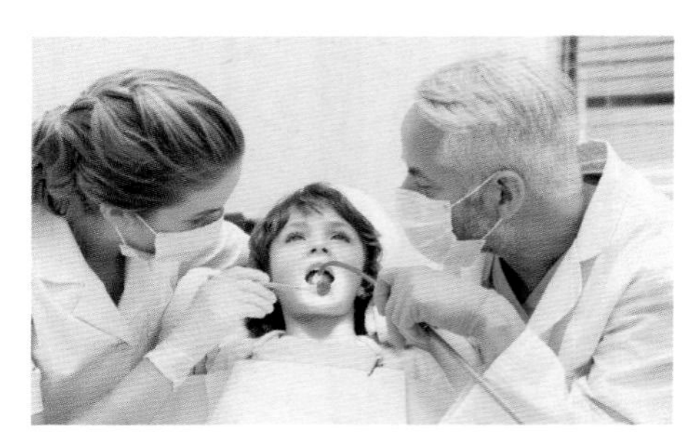

Le dentiste soigne les dents malades.

Au secours !
Les policiers et les gendarmes surveillent les rues et protègent les personnes. Quand il y a un vol ou un crime, ils mènent une enquête pour arrêter les coupables.

Au secours ! Au feu !
Les pompiers aident les habitants de la maison à sortir et combattent les flammes.
Quand un accident se produit sur la route, ils dégagent les blessés, leur donnent les premiers soins et les amènent à l'hôpital.

Le présent des verbes comme **marcher**

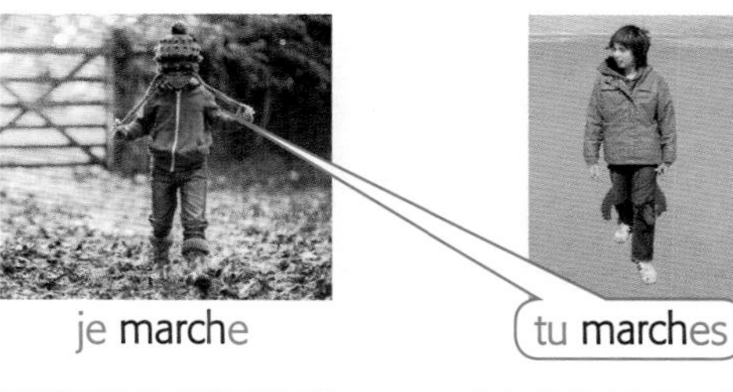

je marche — tu marches

il marche

elle marche

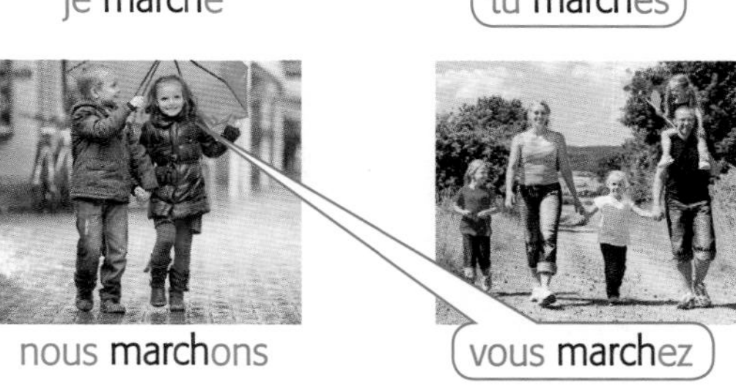

nous marchons — vous marchez

ils marchent

elles marchent

- Lis toute la conjugaison du verbe *marcher*.
- Observe la partie en noir. Que remarques-tu ?
- Observe les parties en rouge. Explique ce que tu comprends.

Je retiens

- À l'infinitif, beaucoup de verbes se terminent par le son /e/ qui s'écrit **er**.
- Tous les verbes qui se terminent par **er** à l'infinitif se conjuguent de la même façon au présent. Il y a une seule exception le verbe *aller*.
- Les pronoms de conjugaison commandent la terminaison du verbe.

Quand j'arrive à la terminaison du verbe, je me demande : quel est le pronom qui commande ?
Je regarde le pronom qui est devant le verbe et je décide.

je danse	tu danses	il danse
J'écris e à la fin de je danse parce que c'est je qui commande.	J'écris es à la fin de tu danses parce que c'est tu qui commande.	J'écris e à la fin de il danse parce que c'est il qui commande.

1 Je recopie les verbes qui se conjuguent comme *marcher*.

bricoler – chercher – courir – lire
demander – descendre – entrer
prendre – regarder – trouver – voir

2 J'écris un pronom de conjugaison devant le verbe.

… tombons – … tombe
… tombent – … tombes

3 Je conjugue les verbes au présent.

découper : je …
coller : nous …
entourer : tu …
souligner : elle …
barrer : ils …
copier : vous …
chercher : il …
dessiner : elles …

4 Comment garder la ville propre ?

Tous les jours, les éboueurs ramassent les ordures dans leur camion benne. Ils les emportent vers des usines. Elles seront brulées pour produire de la chaleur, ou recyclées pour fabriquer de nouveaux objets.

Les jardiniers plantent des fleurs et des arbres.
Ils entretiennent les pelouses des parcs et des jardins publics.

Je respecte les pelouses quand elles sont interdites.
Je ne cueille pas les fleurs.
Je ne casse pas les branches des buissons et des bordures.

Je dépose toujours mes déchets dans une poubelle. Je ne jette rien par terre.
Avec mes gestes de tous les jours, je respecte le travail des employés de la ville.

cahier 1 p. 52

Le nom commun et le nom propre

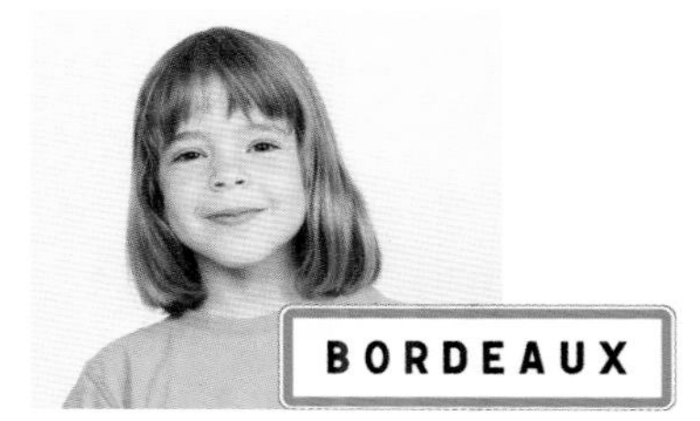

Je m'appelle Alice.
J'habite à Bordeaux.
Ma ville est jumelée
avec Casablanca et Oran.

Voici ma copine Maly.
Elle habite, comme moi,
le quartier Caudéran. Nous
allons à l'école ensemble.

Le dimanche, nous allons
nous promener au bord de
la Garonne avec nos parents
et mon chien Flocon.

1. Comment s'appellent les deux copines ?
2. Comment s'appelle leur ville ?
3. Comment s'appelle leur quartier ?
4. Comment s'appelle le chien d'Alice ?
5. Comment s'appelle le fleuve qui traverse la ville ?
6. Quel est le point commun entre les mots du texte qui répondent aux questions ?

Je retiens

- Les personnes, les animaux familiers, les lieux ont un nom bien à eux : **un nom propre.**
  Alice – Flocon – Bordeaux
- Le nom propre commence toujours par une majuscule.
- Tous les autres noms sont des **noms communs.**
  la ville – une copine – le chien

1 Je recopie les noms propres.

1. Aladin va chercher une lampe magique au centre de la terre.
2. Gepetto, le père de Pinocchio, était un pauvre menuisier.
3. Le Sahara est le plus grand désert du monde.
4. Le Nil est le plus long fleuve d'Afrique.
5. Quelle est la capitale de la France ?

2 Je recopie les noms communs.

1. Il y a très longtemps, en Égypte, les enfants jouaient avec des poupées, des balles, des toupies.
2. Le jeu de l'oie, les dés, la dinette, les devinettes sont aussi des jeux très anciens.
3. Les jouets anciens sont conservés dans des musées.
4. En France, dans le musée de Colmar, on peut voir le carrosse de Cendrillon.

4 L'accord du nom avec son déterminant

Le déterminant commande le singulier et le pluriel du nom.
Pour marquer le pluriel à la fin du nom, j'écris un **s**.

Il y a des noms qui se terminent par un **x** au pluriel.
Tu les apprendras plus tard.

À suivre...

- À la fin du nom, je réfléchis : singulier ou pluriel ?
  des maison(?)
- Je regarde en arrière. Je cherche le déterminant.
  des maison(?)
- ***Des*** commande le pluriel. J'accorde le nom.
  J'écris un ***s*** à la fin de maison.
  des maison(s)

1 J'écris un déterminant devant chaque nom.
... arbres – ... pelouse – ... arrosoir – ... fleurs – ... graines
... racines – ... jardinier – ... tulipes – ... fruit – ... terre

2 J'écris un nom de fruit après chaque déterminant.

pomme – poire – fraise – abricot – raisin – cerise – melon – citron

la ... – le ... – les ... – un ... – une ... – des ... – ma ... – trois ...

3 J'écris au singulier.
les salades – des œufs – des pâtes – des poulets – les poissons – les tartes

4 J'écris au pluriel. J'entoure la marque du pluriel à la fin du nom.
une assiette – la fourchette – un bol – la nappe – le biscuit – un fromage

5 Je recopie les noms au pluriel avec leur déterminant.
Dans les rayons de la bibliothèque, Yanis cherche un livre sur les pirates.
Dina et Lucie tournent les pages d'un album sur les fleurs.
Lou aime les histoires avec des princesses et des fées.

6 Je recopie le texte. J'écris les noms en bleu au pluriel.
Au zoo, nous avons vu une girafe, une gazelle, un zèbre, le kangourou, le lama et même le loup. Nous avons parlé avec le gardien. La maitresse a photographié un lézard et une tortue. Quand j'ai regardé le boa, j'ai eu peur !

cahier 1 p. 56

J'apprends à écrire une histoire

1. J'observe le premier dessin. Je me demande :
   – ***Où cela se passe-t-il ?*** Je note les mots qui vont me servir : la rue, …
   – ***Qui ?*** Je donne un prénom au personnage.
   Je remarque : il sourit, il a l'air content …
   – ***Que se passe-t-il ?*** Il court vite, il ne fait pas attention …
   – ***Que s'est-il passé avant ?*** **J'imagine.**
   Il fait la course avec un copain …

   J'écris, par exemple :

   Sur le trottoir, Lucas fait la course avec son copain Léo.
   Il court très vite pour arriver le premier. Il regarde
   derrière lui. Il est content, Léo est encore loin.

   À mon tour, j'écris le début de mon histoire avec mes réponses.

2. ***Que se passe-t-il ?***
   Je note les mots qui vont me servir : il ne voit pas l'arbre …

   J'écris, par exemple :

   Lucas ne voit pas l'arbre au milieu du trottoir.

   J'écris la suite de mon histoire.

3. ***Que se passe-t-il ?***
   Je note les mots qui vont me servir : il tombe, il a mal à la tête …

   J'écris, par exemple :

   Il tombe sur les fesses. Aïe ! Il a mal à la tête.

   J'écris la fin de mon histoire.

5 Jacques et le haricot magique (1)

En ce temps-là, il y a très longtemps, Jacques vivait seul avec sa mère. Son père était mort, on ne sait pas quand ni pourquoi. Pauvres, pauvres et pauvres, comme ils étaient pauvres, Jacques et sa maman !

Mais ils avaient tout de même une vache, une vache toute rousse. Ils l'avaient appelée Blanchette, parce qu'il faut bien s'amuser un peu, même quand on est pauvre.

Blanchette leur donnait du bon lait, que le garçon allait vendre au marché. Mais un matin…

– Jacques, Jacques !

– J'arrive, maman ! Pourquoi pleures-tu ? Que se passe-t-il ?

– Blanchette n'a plus de lait, plus rien. Nous n'avons plus rien pour vivre. Demain tu iras vendre notre vache au marché.

Et la mère de Jacques avait une voix triste, très triste…

• tout de même : pourtant, malgré cela. Ils avaient tout de même une vache : malgré leur pauvreté, ils avaient une vache.

1. Dis ce que tu sais de Jacques, de sa maman.
2. Explique pourquoi Jacques et sa maman se sont amusés quand ils ont appelé leur vache Blanchette.
3. Comment Jacques et sa maman gagnaient-ils un peu d'argent pour vivre ?
4. Raconte la matinée de la mère de Jacques jusqu'au moment où elle l'appelle.
5. Pourquoi la mère de Jacques a-t-elle une voix très triste ?

Le son /ɛ/ comme dans rivière

Ce matin, l'hirondelle,
rapide comme l'éclair,
écrit haut dans le ciel
avec ses grandes ailes :
« C'est la fin de l'hiver ».

Alors toutes les bêtes
sortent de la forêt.

Madame la chouette,
la reine des coquettes,
dit adieu à la neige
et ouvre ses volets.

Le lièvre vif et fier
qui sort de son terrier
va se débarbouiller
au bord de la rivière.

Et moi, dans l'herbe verte,
je ramasse en bouquet
trois belles pâquerettes
et les blanches clochettes
de deux brins de muguet.

1. Cherche les mots de la comptine dans lesquels tu entends /ɛ/ comme dans *rivière*.
Compte les syllabes.
Classe les mots dans le tableau.

1 syllabe	2 syllabes	3 syllabes	4 syllabes
			hirondelle

2. Continue ton tableau :
Marque avec un point rouge la place du son dans la syllabe.
Entoure les lettres qui écrivent le son.

1 syllabe	2 syllabes	3 syllabes	4 syllabes
			hirondelle

J'apprends à écrire les mots outils.

après – avec – derrière – hier – jamais – mais – quelquefois

Je retiens

Le son /ɛ/ s'écrit de six façons.

è	ê	e	e	et	ai	ei
		devant deux consonnes	devant une consonne à la fin d'un mot			
rivière	forêt	herbe	ciel	bouquet	éclair	reine

5 Jacques et le haricot magique (2)

Le lendemain matin, Jacques passe une corde au cou de Blanchette et part au marché.

En route, il rencontre un vieillard tout vieux, tout courbé sur son bâton.
– Bonjour, Jacques, tu vas au marché avec ta vache ?
Jacques ne connait pas le vieillard. Comment sait-il son nom ?
Comment sait-il qu'il va au marché avec Blanchette ?
– Bonjour Monsieur, répond Jacques poliment.
Il se dit : les vieux sont des sages, ils connaissent beaucoup de choses, alors pourquoi celui-ci ne connaitrait-il pas aussi mon nom ?
– Que vas-tu faire au marché avec Blanchette ?
Tiens ! Il sait aussi que la vache s'appelle Blanchette…
– Je vais vendre notre vache, et très cher, car ma mère et moi nous n'avons plus rien d'autre pour vivre.

- **un vieillard** : un homme très vieux, très âgé.
- **courbé** : plié en deux.

1. Pourquoi Jacques passe-t-il une corde au cou de Blanchette ?
2. Est-ce que Jacques connait le vieillard ?
3. Qu'est-ce qui étonne Jacques quand le vieillard lui parle ?

Le son /s/ comme au début de **serpent**

Et voici la vraie recette
de la soupe de sorcière
à la façon de Roussette,
la reine des cuisinières.

Vous mettez dans le chaudron
un serpent, deux hérissons,
trois citrouilles, du sucre glace,
une pincée de limaces.

Mais surtout, faites attention !
Il faut un petit garçon
et sept morceaux de poisson.

Ne soyez pas impatient !
La soupe cuit lentement.
Pour passer ce long moment,
allez vous brosser les dents.

1. **Cherche les mots de la comptine dans lesquels tu entends /s/ comme au début de *serpent*.**
   Classe les mots dans le tableau.

1 syllabe	2 syllabes	3 syllabes
	voici	

2. **Continue ton tableau :**
   Marque avec un point rouge la place du son dans la syllabe.
   Entoure les lettres qui écrivent le son.

1 syllabe	2 syllabes	3 syllabes
	voi[c]i	

J'apprends à écrire les mots outils.

plus – soudain – assez – aussi – voici – parce que – qu'est-ce que

Je retiens

Le son /s/ s'écrit de cinq façons.

s	ss	c	ç	t
 serpent	entre deux voyelles poisson	devant **e** et **i** citrouille	devant **a**, **o**, **u** garçon	Attention

Je retiens aussi : six – dix – soixante – descendre – la piscine – les sciences

5 Jacques et le haricot magique (3)

Le vieillard sourit à Jacques.
– Pauvre Jacques ! Tiens, je te l'achète, ta vache. Voilà, je te la paye.
Et il sort de sa poche un haricot, un très gros haricot bariolé,
aux couleurs de l'arc-en-ciel.
– Tu te moques de moi, un haricot ! Ce n'est même pas assez
pour faire une soupe !
– Il est magique, ce haricot ! Plante-le ce soir, et demain matin
il aura poussé jusqu'au ciel !
– Vraiment ? demande Jacques.
– Je te le promets. Tu peux me croire.
La vie est dure, et souvent triste. Alors Jacques rêve un peu.
Comme ce serait beau d'avoir une plante magique !
– D'accord, dit-il en prenant le haricot. Je te fais confiance.
Voilà Blanchette.

- bariolé : avec beaucoup de couleurs vives, multicolore.
- Je te fais confiance : je crois ce que tu me dis. Je pense que tu ne me mens pas.

1. Comment le vieillard paye-t-il la vache ?
2. Explique pourquoi Jacques accepte de vendre sa vache au vieillard.
3. D'après toi, que va penser la mère de Jacques ?
4. Joue la scène avec un camarade.

cahier 1 p. 66

L'accord du verbe avec son sujet

Le haricot pousse.

Les haricots poussent.

1. **Recopie les deux phrases et compare-les :**
   – dis ce que tu sais des groupes nominaux *le haricot, les haricots*
   – trouve l'infinitif du verbe
   – tu connais la conjugaison de ce verbe. Entoure les terminaisons.
2. **Dans quelle phrase le verbe est-il au singulier ? Explique pourquoi.**
3. **Dans quelle phrase le verbe est-il au pluriel ? Explique pourquoi.**

Je retiens

- **Le verbe s'accorde au singulier et au pluriel avec le groupe nominal qui le commande.**
- **Le groupe nominal** qui commande **le verbe est le sujet du verbe.**

Je sais maintenant que le sujet du verbe peut être :
– un pronom de conjugaison
– un groupe nominal.

À suivre au CE2...

1 Je surligne les verbes.

1. La pluie tombe.
2. Heureusement l'autobus arrive.
3. Avec mes amis nous montons vite.
4. Je trouve une place assise.
5. Je donne ma place à une maman.

2 Je surligne le verbe et j'encadre le sujet.

1. Les vaches aiment l'herbe du pré.
2. Le jardinier plante des haricots.
3. Nos pommiers donnent beaucoup de pommes cette année.
4. Les clients regardent l'étalage.
5. Une dame achète des carottes.

3 J'écris le verbe qui convient.

joue – jouent
Deux enfants ... aux dominos.

tombe – tombent
Un domino ... par terre.

4 J'écris le sujet qui convient.

l'âne – les ânes
... porte des gros sacs sur le dos.

un enfant – trois enfants
... marchent à côté de l'âne.

un nuage – des nuages
Depuis ce matin ... cachent le soleil.

5 Jacques et le haricot magique (4)

Jacques revient chez lui, tout heureux. Il serre bien fort le haricot dans sa main. Il danse sur le chemin.

– Tu es déjà revenu ? lui crie sa mère. Tu as vendu Blanchette ?

– Oui, maman, je l'ai vendue.

– Et que nous as-tu rapporté ? Quinze pièces d'or ?

– Non, maman.

– Dix pièces d'or ?

– Non, maman.

– Cinq pièces d'or ?

– Non, maman. Un haricot magique ! Cette nuit, il poussera jusqu'au ciel !

À ces mots, la mère de Jacques se met en colère contre son fils. Elle sanglote aussi, car maintenant les voilà misérables. De rage, elle jette le haricot et envoie Jacques se coucher sans manger. De toute façon, il n'y a plus rien à manger.

- **Elle sanglote** : elle pleure très fort.
- **misérable** : très pauvre et très malheureux.
- **de rage** : dans une très grande colère.

1. Retrouve dans le texte tout ce qui montre que Jacques est heureux.
2. Pourquoi la mère de Jacques se met-elle en colère ?
3. Comment punit-elle Jacques ?

cahier 1 p. 67

Le présent du verbe **être**

1. Joue la scène avec tes camarades.
2. Puis cherche l'infinitif du verbe conjugué en gras.

Je retiens

Le présent du verbe être	
je suis	nous sommes
tu es	vous êtes
il est	ils sont
elle est	elles sont

5 Jacques et le haricot magique (5)

Le lendemain, Jacques se réveille avec la faim au ventre.
Pourquoi fait-il aussi sombre ce matin ?
Pourquoi le soleil n'éclaire-t-il pas sa chambre ?
Jacques se précipite à la fenêtre.
Son haricot a poussé, poussé haut dans le ciel,
poussé jusqu'aux nuages.
C'est donc bien un haricot magique !

Jacques n'hésite pas une seconde. D'un bond, il enjambe la fenêtre. Il attrape la tige et, de feuille en feuille, il monte, monte, monte… Bien au-dessus du toit de la maison, bien au-dessus de la plus haute cime des arbres. Jacques grimpe toujours. Maintenant, il traverse les nuages. Le voilà dans le ciel. Juste là, au bout de la tige, il voit une large route. Jacques la suit. Il marche, marche, marche longtemps, et arrive au pied d'un château magnifique.

- il enjambe la fenêtre : il passe la jambe par-dessus le rebord de la fenêtre. *Enjamber* est un mot de la famille de *jambe*.
- la tige : la partie de la plante qui porte les feuilles.
- la cime : le sommet.

1. **Réponds aux deux questions de Jacques :**
   Pourquoi fait-il aussi sombre ce matin ?
   Pourquoi le soleil n'éclaire-t-il pas sa chambre ?
2. **Jacques a-t-il eu raison de faire confiance au vieillard ?**
3. **D'après toi, pourquoi Jacques monte-t-il le long de la tige du haricot ?**
4. **Jacques arrive au pied d'un château. Où est ce château ?**

L'ordre alphabétique (2)

Je suis juste avant Lounès.

Je suis le premier.

Je suis juste après Lounès.

Je suis entre Fatou et Sofia.

1. Ces quatre élèves doivent se ranger dans l'ordre alphabétique. Explique comment ils font.

2. Ces mots sont rangés dans l'ordre alphabétique. Explique comment on les a rangés.

caramel – cerise – champignon – citron – confiture – crème

Je retiens

- **Pour ranger des mots dans l'ordre alphabétique :**
  – je regarde la première lettre
  – quand la première lettre est la même, je regarde la deuxième lettre.
- **Dans le dictionnaire, les mots sont rangés dans l'ordre alphabétique.**

À suivre…

1 Je range dans l'ordre alphabétique.

1. tige – feuille – haricot
2. terre – ciel – nuage
3. monter – grimper – sauter
4. pauvre – triste – malheureux
5. sangloter – crier – pleurer

1. poule – mouton – vache – lapin
2. rouge – vert – bleu – jaune
3. renard – écureuil – loup – hibou
4. genou – jambe – pouce – cheville
5. cigale – fourmi – abeille – papillon

2 Je range dans l'ordre alphabétique.

1. poupée – patin – peluche
2. tiroir – télévision – tapis
3. bottes – baskets – blouson

3 Je range dans l'ordre alphabétique.

1. aigle – antilope – abeille – autruche
2. offrir – oublier – observer – organiser
3. ruisseau – rivière – ravin – route

4 Je recopie les listes. Je barre le mot qui n'est pas à sa place dans l'ordre alphabétique.

1. gant – bonnet – chapeau – écharpe
2. automne – hiver – printemps – été
3. colis – lettre – enveloppe – timbre

1. assiette – cuillère – couteau – fourchette – nappe
2. abricot – ananas – cerise – pomme – pêche
3. pâtes – poisson – purée – fromage – soupe

5 L'accord du verbe avec son sujet

Le sujet du verbe peut être :
- un pronom de conjugaison : **Nous** écoutons de la musique.
- un groupe nominal : **Le maitre** pose une question.
- un nom propre : **Lina** lève le doigt.

Pour bien accorder le verbe avec son sujet :

1. **Je m'arrête à la fin du verbe** et je me demande : quel est son sujet ?

nous écout(?) — le maitre pos(?) — Lina lèv(?)

2. **Je regarde en arrière :** je cherche le mot ou les mots qui commandent le verbe.

nous écout(?) — le maitre() pos(?) — Lina lèv(?)

3. **Je prends la décision.**

nous écout(ons) : Le sujet est **nous**.

→ J'écris **ons** à la fin du verbe.

le maitre() pos(e) : **Le maitre** est au singulier : on parle d'un seul maitre.

→ J'écris **e** à la fin du verbe.

Lina lèv(e) : **Lina**, c'est une seule personne. C'est le singulier.

→ J'écris **e** à la fin du verbe.

1 J'écris la terminaison du verbe.

1. Hugo mont… sur le toboggan.
2. Des promeneurs mont… sur le sentier.
3. Nous mont… au deuxième étage.
4. La classe mont… dans le bus.

2 J'écris un sujet.

1. un groupe nominal : … raconte des histoires.
2. un pronom de conjugaison : … cherches le stylo de Manon.
3. un nom propre : … ramasse les cahiers.

3 Je souligne le verbe. J'encadre son sujet.
Je récris la phrase avec le sujet au pluriel. Je fais attention à tout ce qui change.

1. Le jardinier coupe les branches des arbres.
2. Un lampadaire éclaire la rue.
3. Le coureur passe la ligne d'arrivée.

4 Je récris la phrase avec le sujet au singulier.

1. Pendant la récréation, les maitres organisent des jeux.
2. Tous les jours, des policiers surveillent la sortie de l'école.

J'apprends à écrire un dialogue

1. Je lis la bande dessinée.

– Combien y a-t-il de personnages dans cette scène ?
– Combien de personnages parlent ?
– Joue la scène avec un camarade.

Brigitte Luciani et Eve Tharlet, *Monsieur Blaireau et Madame Renarde*, tome 4, Éditions Dargaud.

2. Je lis maintenant le même texte, présenté autrement. Je cherche les différences.

– Tu viens ? Il faut rentrer la fougère sèche au terrier.
– Je n'ai pas fini, Papa !
– Désolé, mais il y a urgence et nous avons besoin de tous les bras !
– Tu nous fais tout le temps travailler !
– Bientôt l'hiver arrive et tu seras content que ta chambre soit isolée contre le froid. Alors viens nous aider, s'il te plait !

Un dialogue, c'est une discussion entre deux personnes, ou quelquefois entre plusieurs personnes.
Quand j'écris un dialogue :
– je vais à la ligne chaque fois qu'une personne parle
– je mets un tiret devant le début de la phrase.

6 Jacques et le haricot magique (6)

Jacques frappe à la porte. Une femme lui ouvre.
Elle a l'air triste.
– Que fais-tu là, malheureux ?
– Madame, je suis perdu, et j'ai tellement faim, répond Jacques.
Je vous serais très reconnaissant de me donner un peu à manger.
– Mais mon pauvre enfant, c'est toi qui vas être mangé !
Mon mari est un ogre, un ogre toujours affamé, un ogre géant,
un ogre qui sent de loin la bonne odeur des enfants. Pars vite !
– Je vous en supplie, rien qu'un peu à manger. Je n'ai plus
assez de force pour partir tout de suite !
La femme a pitié de Jacques.
– Je vais te donner un peu de lait et de pain. Mange vite,
mon mari peut arriver d'un moment à l'autre !

- Je vous serais très reconnaissant : je vous remercierais beaucoup, du fond du cœur.
On utilise cette formule pour être très poli.
- affamé : qui a très faim.

1. Où est Jacques maintenant ?
2. Pourquoi Jacques a-t-il faim ?
3. Jacques est-il vraiment perdu ?
4. La femme de l'ogre est-elle méchante ?
Trouve dans le texte les mots qui permettent de répondre.
5. À ton avis, pourquoi la femme de l'ogre a-t-elle l'air triste ?

Le son /e/ comme au début d'étoile

Sur mon cahier de poésies,
j'ai dessiné
une araignée dans un panier.
Quelle drôle d'idée !

À côté d'un ogre géant,
le nez comme une cheminée,
prêt à dévorer ses enfants.
Qu'il est méchant !

Si vous voulez le regarder,
venez, venez.
Il s'endort après son diner
dans mon cahier.

1. **Cherche les mots de la comptine dans lesquels tu entends /e/ comme au début d'*étoile*.**
   Compte les syllabes.
   Classe les mots dans le tableau.

1 syllabe	2 syllabes	3 syllabes
	cahier	

2. **Continue ton tableau :**
   Marque avec un point rouge la place du son dans la syllabe.
   Entoure les lettres qui écrivent le son.

1 syllabe	2 syllabes	3 syllabes
	cahi[er]	

J'apprends à écrire les mots outils.

assez – chez – déjà – les – mes – tes – ses

Je retiens

Le son /e/ s'écrit de cinq façons.

é
er
ez
ée
quelquefois e
toujours en fin de mot
étoile
panier
nez
cheminée
dessin

Je retiens aussi : le pied.

6 Jacques et le haricot magique (7)

Jacques avale sa première bouchée quand un énorme bruit fait trembler les murs du château.
Une énorme voix prononce des mots terribles :
– Oh, oh ! Je sens l'odeur de la chair fraiche ! Je sens une odeur de petit garçon !

Que faire ? La femme de l'ogre ouvre la porte de l'énorme four.
Jacques comprend. Il se précipite à l'intérieur du four pour se cacher.
Juste à ce moment l'ogre entre dans la cuisine. Il hurle :
– Je ne me trompe pas. C'est bien l'odeur d'un petit garçon !
– Mais non, mon cher mari, lui répond sa femme. Il n'y a pas de petit garçon ici. Ce que vous sentez, c'est la bonne odeur des trois gigots que j'ai cuisinés pour vous. Mettez-vous vite à table.

- **une bouchée** : la petite quantité d'aliments que l'on a dans la bouche.
  Bouchée est un mot de la famille de *bouche*.
- **la chair** : ce qui se mange dans un animal ou dans un fruit.
- **Il se précipite** : il court très vite.
- **un gigot** : la cuisse du mouton.

1. Qui fait un énorme bruit ?
   Qui prononce des mots terribles ?
2. Pourquoi la femme de l'ogre ne parle-t-elle pas ?
3. Pourquoi dit-elle ensuite un mensonge ?
4. Où est Jacques à la fin de cet épisode ?
5. À ton avis, Jacques a-t-il encore faim ?

cahier 1 p. 78

Le son /g/ comme au début de gant

J'ai vu un grand dragon
avec sa longue langue
déguster une glace
sans faire la grimace.

Gare à toi si tu mens,
garnement !

J'ai vu un kangourou
déguisé en hibou
jouer de la guitare
avec des gants bizarres.

Gare à toi si tu mens,
garnement !

Non, ne me gronde pas.
C'est pour rire, papa !

1. Cherche les mots de la comptine dans lesquels tu entends /g/ comme au début de *gant*.
Compte les syllabes.
Classe les mots dans le tableau.

1 syllabe	2 syllabes	3 syllabes
grand		

2. Continue ton tableau :
Marque avec un point rouge la place du son dans la syllabe.
Entoure les lettres qui écrivent le son.

1 syllabe	2 syllabes	3 syllabes
grand		

Je retiens

Le son /g/ s'écrit de deux façons.

g	gu
devant **a, o, u, r, l**	devant **e, i**

gant	guitare

6 Jacques et le haricot magique (8)

L'ogre a tellement faim qu'aussitôt à table, il dévore les trois gigots en un clin d'œil. Fatigué d'avoir tant mangé, il sent qu'il va s'endormir.
Alors il sort du buffet deux grands sacs de pièces d'or.
Il sourit à ses pièces, il les caresse, il les compte.
Une, deux, trois, quatre…
Oh la jolie berceuse… Et l'ogre s'endort.

Jacques ouvre la porte du four sans bruit, il remplit ses poches de pièces d'or et court aussi vite qu'il peut vers la tige du haricot.

Au pied du haricot, il retrouve sa mère inquiète.
Il la rassure, il lui raconte tout et lui montre les pièces.
– Tu vois, c'est bien un haricot magique.

Pendant des mois et des mois, ils vivent avec cet or.
Mais un jour, tout est dépensé.

- **en un clin d'œil** : très vite.
Ferme et lève ta paupière.
Le temps que tu mets,
c'est le temps d'un clin d'œil.
- **une berceuse** : une chanson pour endormir les enfants.

1. Quelle est la berceuse qui endort l'ogre ?
2. Fais le portrait de l'ogre : qu'aime-t-il ?
3. Pourquoi Jacques vole-t-il les pièces ?
4. À ton avis, que pense sa mère ?

cahier 1 p. 80

Le nom masculin et le nom féminin

Le bruit fait trembler le mur de la maison. C'est l'ogre.
Jacques entend la voix effrayante :
– Oh, oh ! Je sens l'odeur du petit garçon !
Que faire ? La femme de l'ogre montre le four à Jacques et ouvre la porte.

1. Quel déterminant vois-tu devant les noms en bleu ?
Peux-tu remplacer ce déterminant par **une** ? Explique ta réponse.

2. Quel déterminant vois-tu devant les noms en orange ?
Peux-tu remplacer ce déterminant par **un** ? Explique ta réponse.

3. Par quel déterminant peux-tu remplacer **l'** devant le nom *ogre* ?
Par quel déterminant peux-tu remplacer **l'** devant le nom *odeur* ?

Je retiens

- Le nom commun est **masculin** quand on dit **un** ..., **le** ...
- Le nom commun est **féminin** quand on dit **une** ..., **la** ...
- Le déterminant **l'** indique le masculin ou le féminin.
Pour savoir si le nom est masculin ou féminin, on remplace **l'** par **un** ou par **une**.

1 Je recopie les noms masculins.

ma place – ton coin – le lieu
ce pays – la région – un espace
le ciel – une ligne – la distance

2 Je recopie les noms féminins.

la rentrée – un mois – cette année
une saison – un jour – une heure
le printemps – la minute – un moment

3 J'écris un déterminant devant les noms.

... chambre ... salon
... appartement ... maison
... rue ... quartier
... ville ... pays
... mer ... monde

4 Je complète le groupe nominal : j'écris un nom.

un ... ce ... la ...
le ... ma ... une ...

5 Je remplace *l'* par *un* ou *une*.

l'aventure – l'aile – l'homme – l'oncle
l'arrêt – l'oreille – l'océan – l'ile
l'animal – l'assiette – l'os – l'ordre

6 Je classe les groupes nominaux.

masculin	féminin

l'hôpital – l'idée – l'eau – l'école
l'arbre – l'agent – l'année
l'oiseau – l'hôtel – l'exemple
l'ombre – l'histoire

6 Jacques et le haricot magique (9)

Alors Jacques décide de remonter au château.
En cachette, il s'installe dans le four.
L'ogre arrive, avec une poule dans les bras.
– Oh, oh ! Je sens l'odeur de la chair fraiche !
Je sens une odeur de petit garçon !
– Mais non, mon cher mari, vous sentez la bonne odeur du veau que j'ai cuisiné pour vous.
L'ogre a tellement faim qu'aussitôt à table il dévore le veau entier.
Fatigué d'avoir tant mangé, il sent qu'il va s'endormir.
Alors il sourit à la poule, il la caresse, et elle pond un œuf d'or.
L'ogre, heureux, s'endort.
Jacques a tout vu. Il s'empare de la poule et court jusqu'au haricot géant.
La poule se débat, elle caquète très fort et réveille l'ogre.
– Au voleur ! hurle-t-il.
Mais trop tard. Jacques a déjà rejoint sa mère.

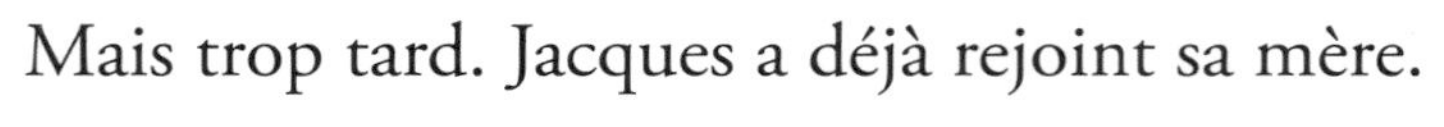

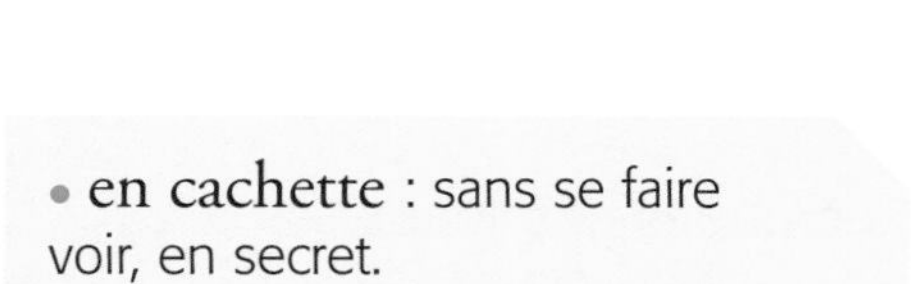

- **en cachette** : sans se faire voir, en secret.
- **Il s'empare de la poule** : il prend la poule de force pour la voler.
- **elle caquète** : elle crie. *Le caquètement*, c'est le cri de la poule.

1. À ton avis, comment Jacques remonte-t-il au château ?
2. Ce jour-là,
   – la femme de l'ogre sait-elle que Jacques est dans le four ?
   – la femme de l'ogre dit-elle un mensonge ?
3. Pourquoi l'ogre s'endort-il heureux ?
4. Tu es Jacques. Raconte à ta mère ce qui t'est arrivé.

cahier 1 p. 81

Le présent du verbe **avoir**

J'ai deux tortues.
Tu as un chat.

Elle a un chien.
Il a un lapin.

À nous tous, **nous avons** un zoo !

Vous avez vos tickets ?

Regardez mes tortues, **elles ont** de belles écailles !

Ces animaux sont heureux.
Ils ont de bons maitres !

1. Joue la scène avec tes camarades.
2. Puis cherche l'infinitif du verbe conjugué en gras.

Je retiens

Le présent du verbe avoir	
j' ai	nous avons
tu as	vous avez
il a	ils ont
elle a	elles ont

6 Jacques et le haricot magique (10)

Avec la poule aux œufs d'or, Jacques et sa mère n'ont plus jamais faim. Mais Jacques est triste. Il voudrait revoir le château.

Aussi, un matin, il reprend ce chemin qu'il connait si bien maintenant. Tout se passe comme d'habitude, mais après le repas, l'ogre a du mal à s'endormir. Alors il sort du buffet une harpe d'or qui joue pour lui une musique merveilleuse… Et il s'endort. Jacques saisit la harpe et court vers le haricot. Il court si vite que le vent fait vibrer les cordes de l'instrument. L'ogre se réveille, fou de rage. Pour rattraper Jacques, il descend le long de la tige. Mais Jacques est déjà arrivé au sol.

– Mère, ma hache, vite !

Il coupe la tige géante. Elle s'abat sur le sol et écrase l'ogre dans sa chute. Il n'y a plus de haricot magique. Plus d'ogre non plus. Et Jacques n'ira plus jamais au-dessus des nuages.

Maintenant, la musique lui apporte la joie qui lui manquait.

1. « Tout se passe comme d'habitude ». Explique comment cela se passe.
2. À ton avis, pourquoi l'ogre est-il fou de rage ?
3. À ton avis, comment l'ogre trouve-t-il le chemin de Jacques ?
4. Discute avec tes camarades : que pensez-vous de la fin du conte ?

• **vibrer** : bouger très vite, trembler.
Quand les cordes de la harpe vibrent, on entend des notes de musique.

cahier 1 p. 82

Le nom masculin et le nom féminin

• Pourquoi y a-t-il un nom différent pour chaque personne ? pour chaque animal ?

un danseur – une danseuse

un boulanger – une boulangère

un acrobate – une acrobate

un ami – une amie

un lion – une lionne

un cheval – une jument

Je retiens

Pour les personnes, pour les animaux, il y a souvent deux noms communs : un nom masculin et un nom féminin.

– parfois seul le déterminant change : **un** acrobate – **une** acrobate
– parfois on ajoute un *e* au nom masculin : **un** ami – **une** ami**e**
– parfois c'est la fin du nom qui change : **un** boulang**er** – **une** boulang**ère**
– parfois ce sont deux noms différents : **un cheval** – **une jument**

1 Je regarde comment le nom féminin est formé. Puis j'écris.

un acrobate – une acrobate

un élève → une …
un fleuriste → une …
un artiste → une …
un enfant → une …
un secrétaire → une …

un marchand – une marchande

un voisin → une …
un avocat → une …
un ours → une …

un directeur – une directrice

un acteur → une …
un lecteur → une …

2 Je regarde comment le nom féminin est formé. Puis j'écris.

un danseur – une danseuse

une chanteuse → un …
une coiffeuse → un …
une vendeuse → un …

un chien – une chienne

une magicienne → un …
une comédienne → un …
une pharmacienne → un …
une gardienne → un …

6 Les accents

- Le son /ɛ/ s'écrit très souvent **è : un *e* avec un accent grave.**
  Il s'écrit aussi quelquefois **ê : un *e* avec un accent circonflexe.**
- Le son /e/ s'écrit très souvent **é : un *e* avec un accent aigu.**

Les accents changent la prononciation de la lettre e.

1 Je classe les mots dans le tableau.

la tête – la lumière – écrire – une fenêtre
une épée – une règle – le départ
l'arrivée – un rêve – une planète – un vêtement

accent aigu	accent grave	accent circonflexe
...	...	...

2 Je recopie seulement les mots qui contiennent è.

une échelle – la crème – un secret – la tempête – un éclair
une pièce – un trésor – la colère – le ciel – une épine – la rivière

3 Je complète les mots avec é ou è.

la fum...e – la t...l...vision – un fr...re – un h...licopt...re – une ...tag...re

4 J'écris les noms des trois dessins. Ils ont quatre lettres. Ils contiennent tous ê. Seule la première lettre change.

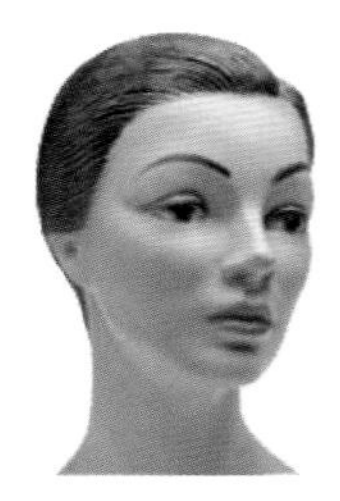

5 Je place les accents dans les familles de mots.

obéir – l'obeissance
rêver – un reve
déguiser – un deguisement
l'écriture – ecrire – un ecrivain
la pêche – pecher – un pecheur
réveiller – le reveil

accélérer – un accelerateur
arrêter – un arret
décorer – la decoration – un decorateur
un mélange – melanger
réparer – une reparation – un reparateur
une réponse – repondre

Je me rappelle : **un** boulang**er** – **une** boulang**ère**.
Dans les noms de métiers, quand le nom masculin se termine par **er**, le nom féminin se termine par **ère**.

6 J'écris le féminin des noms de métier.

un berger – un fermier – un épicier – un infirmier – un boucher – un ouvrier

Je fais parler les personnages d'une histoire

1. Je lis cette histoire : *L'arbre de grand-père*.
– Qui sont les personnages ?
– Qui prend la parole le premier ?
– Quelle est la première parole de Louis ?
– Qui dit : Tu lui disais tes soucis ?

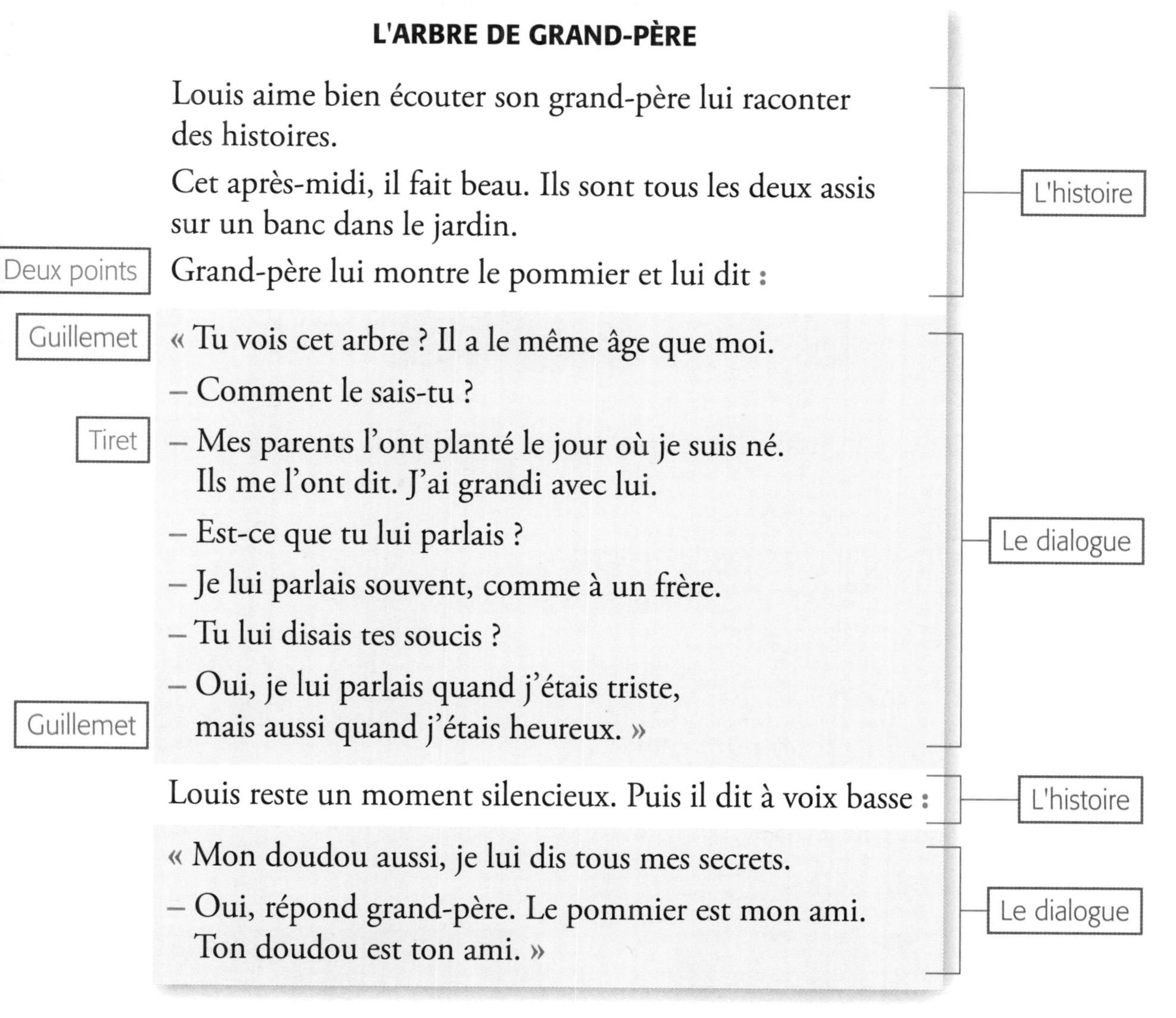

L'ARBRE DE GRAND-PÈRE

Louis aime bien écouter son grand-père lui raconter des histoires.

Cet après-midi, il fait beau. Ils sont tous les deux assis sur un banc dans le jardin.

Grand-père lui montre le pommier et lui dit :

« Tu vois cet arbre ? Il a le même âge que moi.

– Comment le sais-tu ?

– Mes parents l'ont planté le jour où je suis né.
Ils me l'ont dit. J'ai grandi avec lui.

– Est-ce que tu lui parlais ?

– Je lui parlais souvent, comme à un frère.

– Tu lui disais tes soucis ?

– Oui, je lui parlais quand j'étais triste,
mais aussi quand j'étais heureux. »

Louis reste un moment silencieux. Puis il dit à voix basse :

« Mon doudou aussi, je lui dis tous mes secrets.

– Oui, répond grand-père. Le pommier est mon ami.
Ton doudou est ton ami. »

2. Je joue le dialogue avec un camarade ou une camarade.

3. Je regarde les signes en couleur : quels sont les nouveaux signes de ponctuation ?

Quand je fais parler les personnages de mon histoire :
– je l'annonce dans mon histoire avec deux points **:**
– pour commencer le dialogue, j'ouvre les guillemets **«**
– pour terminer le dialogue, je ferme les guillemets **»**
– pour montrer que chacun parle à son tour, je mets un tiret **–**

7 Les cinq sens

Tes yeux, tes mains et ta peau, ton nez, ta langue, tes oreilles, te font connaitre ce qui t'entoure.

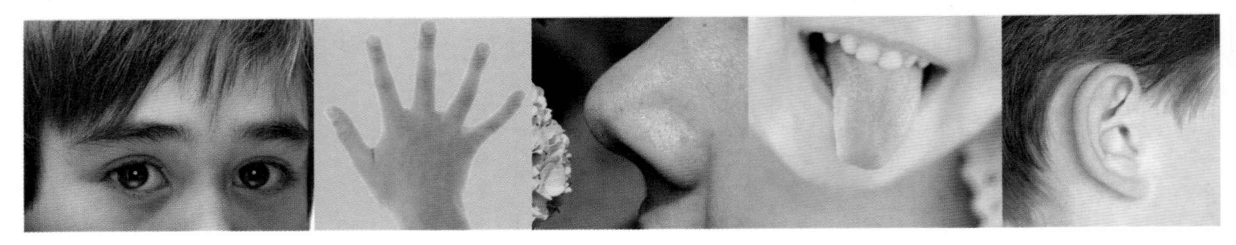

Voir – La vue

Quand tu dis…

La pomme est grosse, ronde et rouge.

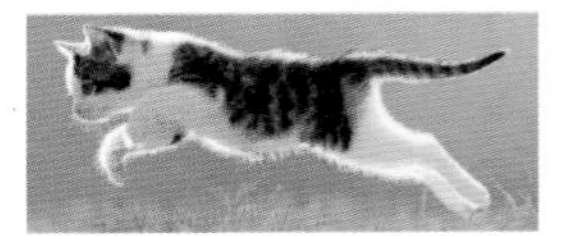

Le chat blanc et marron saute.

…ce sont tes yeux qui t'informent sur la forme, la couleur, la taille, le mouvement.

Voir de près, voir au loin

Si tu veux voir un détail, tu regardes de près.
Si tu veux te repérer, si tu veux traverser la rue en toute sécurité, tu regardes au loin.

Tes yeux sont fragiles

- **Les paupières et les cils les protègent.**
  Tu clignes des yeux 15 à 20 fois par minute.
  Tes paupières déposent des larmes sur ton œil pour le nettoyer.
- **Tu dois en prendre soin.**

Pour protéger tes yeux de la forte lumière du soleil, tu portes des lunettes de soleil ou une casquette avec une visière qui fait de l'ombre.

Quand tu regardes trop longtemps un écran, tes yeux se fatiguent et sont irrités. Ils deviennent secs, rouges et ils picotent.

Le son /**k**/ comme au début de **canard**

Sur la piste du cirque,
un grand clown caracole
au son de la musique.

Approchez ! Approchez !
Le spectacle va commencer.
Approchez, vous verrez…
Cric, crac, croc,
quatorze kangourous qui jouent au basket,
cinquante canards qui font des claquettes,
un phoque avec deux kiwis sur la tête,
un perroquet qui parle grec.

Et pour bien commencer,
un koala glacé !
Ah, non, excusez !
Un chocolat glacé.

1. **Cherche les mots de la comptine dans lesquels tu entends /k/ comme au début de *canard*.**
   Compte les syllabes.
   Classe les mots dans le tableau.

1 syllabe	2 syllabes	3 syllabes	4 syllabes
	cirque		

2. **Continue ton tableau :**
   Marque avec un point rouge la place du son dans la syllabe.
   Entoure les lettres qui écrivent le son.

1 syllabe	2 syllabes	3 syllabes	4 syllabes
	cir[qu]e		

J'apprends à écrire les mots outils.

avec – beaucoup – comment – encore – quand – quelques – pourquoi

Je retiens

Le son /**k**/ s'écrit de trois façons.

c	qu	k
devant a, o, u, l, r  canard	 phoque	 kangourou

Je retiens aussi : **le coq.**

7 Les cinq sens

Les animaux voient, chacun à sa manière

Les yeux : devant ou sur les cotés

Le guépard, l'aigle, sont des **animaux qui chassent. Leurs yeux sont placés sur le devant de la tête**. Grâce à cela, ils mesurent bien la distance entre eux et leur proie.

La gazelle, le lapin, sont des **proies. Leurs yeux sur le côté leur donnent une vue très large.** Si un animal menaçant se présente à droite ou à gauche, ils le voient et peuvent fuir rapidement.

Voir dans la nuit

Les hiboux voient très bien la nuit : leurs yeux sont très grands. **Ils captent le peu de lumière que donne toujours le ciel.** Mais dans l'obscurité totale, les hiboux sont comme nous : ils ne voient rien.

Voir le mouvement

La grenouille ne voit bien que le mouvement. Si l'animal qui s'approche a la taille d'un insecte, elle lance sa langue pour l'attraper. S'il est plus gros, elle fuit.

La vue et les métiers

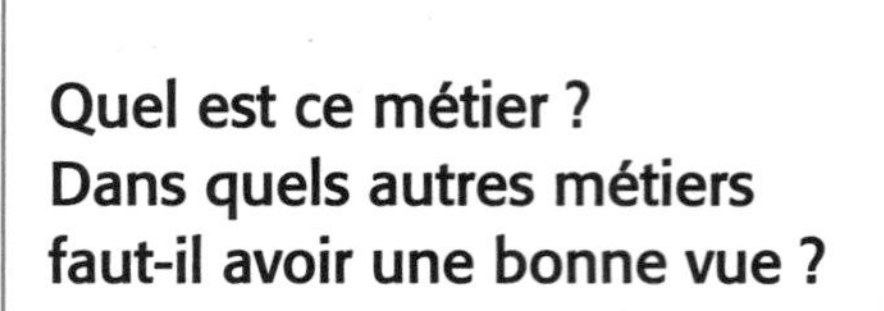
Quel est ce métier ?
Dans quels autres métiers faut-il avoir une bonne vue ?

cahier 2 p. 8

Quels sons écrit-on avec la lettre x ?

1. Lis les mots en colonne.
   Dans chaque colonne, la lettre x se prononce de la même façon.

Je vois x, je prononce			
/ks/	/gz/	/s/	/z/
un taxi	un xylophone	six	deuxième
une excuse	un exemple	dix	sixième
une exclamation	un exercice	soixante	dixième
l'expression	un examen	soixante-dix	
un exposé	exécuter		
une explication	exister		
une expérience	exagérer		
l'extérieur	exact		
une extrémité	inexact		
un klaxon			
un texte			
exprimer			
fixer			
extraordinaire			

2. La lettre x ne se prononce presque jamais à la fin des mots.
   une noix – la voix – le choix – une croix
   deux – courageux – silencieux – peureux – heureux – vieux
   le prix – la paix – faux

Mais la lettre x se prononce /ks/ dans ces deux mots :

le lynx

l'index

3. Avec la lettre x, on fait la liaison /z/.
   deux enfants – dix élèves – joyeux anniversaire

7 Les cinq sens

Toucher – Le toucher

- Tu as déjà joué à reconnaitre des objets enfermés dans un sac, sans les voir, juste avec tes mains.
- Si tu poses ton bras ou ta joue sur un radiateur, tu sens la chaleur.
- Si tu mets un glaçon sur ton ventre, tu sens le froid.
- Si tu enfiles un vêtement qui « gratte », ta peau te le signale.
- Prends un ballon dans tes mains : tu sais tout de suite s'il est bien gonflé.

Quand tu touches un objet, ta peau te le fait connaitre.
C'est au bout de tes doigts qu'elle est le plus sensible.

C'est pointu. Ça pique.
C'est lourd.
Il y a des petits morceaux qui dépassent et qui griffent. C'est rugueux.
C'est lisse. Ça glisse.
C'est frais. Ça rafraichit.
C'est dur. Ça fait mal.
C'est doux.
C'est chaud. Ça brule.
C'est froid. Ça glace.

cahier 2 p. 10

Les pronoms **il**, **elle**, **ils**, **elles**

À l'automne, les feuilles jaunissent. **Elles** tombent.

– Pierre, où est le chien ?
– **Il** est dans le jardin, maman.

Les écureuils font des réserves pour l'hiver. **Ils** ramassent des noisettes.

Clara est ceinture bleue au judo. **Elle** rêve de devenir ceinture noire.

1. Dis tout ce que tu sais des mots *il*, *elle*, *ils*, *elles*.
2. Quels mots de la première phrase peux-tu dire à la place de *il*, *elle*, *ils*, *elles* ?
3. Si tu dis la seconde phrase toute seule, est-ce que tu sais de quoi elle parle ?
4. Pourrais-tu dire ? « Les arbres jaunissent. Elle perdent leurs feuilles » ?
   Essaie de changer le pronom dans les autres phrases. Est-ce possible ?

Je retiens

- Les pronoms **il**, **elle**, **ils**, **elles** reprennent un groupe nominal ou un nom propre.
- Quand je les utilise, je dois d'abord dire de qui ou de quoi je parle.
  – Un groupe nominal **masculin singulier** est repris par **il**.
  – Un groupe nominal **féminin singulier** est repris par **elle**.
  – Un groupe nominal **masculin pluriel** est repris par **ils**.
  – Un groupe nominal **féminin pluriel** est repris par **elles**.

1 Je souligne le groupe nominal repris par *il*, *elle*, *ils*, *elles*.

1. Avez-vous gouté ces biscuits ? Ils ont un gout de vanille.
2. Nous avons ramassé quelques framboises. Elles feront un excellent dessert.
3. Le marchand m'a donné un bon melon. Il est bien mûr et très sucré.
4. J'ai vu une citrouille énorme. Elle pesait au moins douze kilos.

2 Je souligne le groupe nominal repris par *il*, *elle*, *ils*, *elles*.

1. Les haricots du jardin ont manqué d'eau. Ils sont très secs.
2. Élise a mangé une meringue au chocolat. Elle était très bonne.
3. Le thé est sur la table. Attention ! Il est très chaud.
4. Les figues de barbarie portent des épines, mais elles sont douces à l'intérieur.

3 De qui ou de quoi parle-t-on ? J'écris une première phrase pour le faire comprendre.

1. Elle est restée à la maison.
2. Ils entendent le bruit du tonnerre.
3. Elles marchent le long du chemin.
4. Il aime regarder les bateaux.

7 Les cinq sens

Les animaux touchent, chacun à sa manière

Avec ses moustaches, le phoque ressent les petits tourbillons laissés dans l'eau par le passage d'un poisson. C'est comme cela qu'il peut trouver sa nourriture dans la mer sombre.

La trompe de l'éléphant lui sert à la fois de nez et de bras. Avec elle, il attrape sa nourriture et la porte à sa bouche, il écarte les obstacles, soulève les troncs d'arbre, s'asperge d'eau et ramène dans le droit chemin son éléphanteau quand il s'égare.

Les poils qui couvrent les pattes **de l'araignée** l'avertissent de ce qui se passe dans sa toile. Quand un insecte est prisonnier, il se débat. Ses mouvements font vibrer la toile. L'araignée reçoit ces vibrations avec ses pattes et elle se dirige immédiatement vers l'insecte.

Le toucher et les métiers

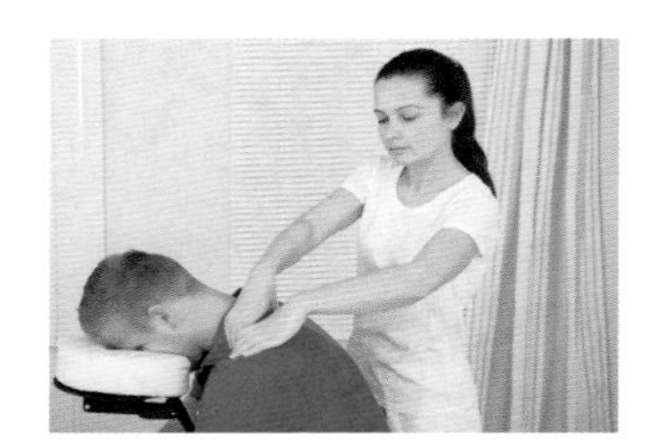

La masseuse – kinésithérapeute soulage les douleurs avec ses mains.

Le guitariste appuie sur les cordes avec les doigts d'une main et les gratte avec l'autre main.

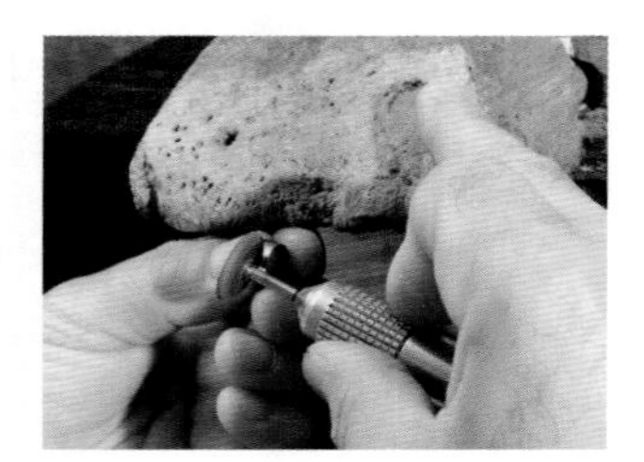

L'horloger, le bijoutier, le mécanicien de précision manipulent des objets très petits et délicats.

Aujourd'hui, tu peux faire beaucoup de choses du bout des doigts sur un écran **tactile**, c'est-à-dire un écran que tu commandes en le touchant.

Connais-tu d'autres métiers où le toucher est important ?

L'accord au présent avec **il**, **elle**, **ils**, **elles**

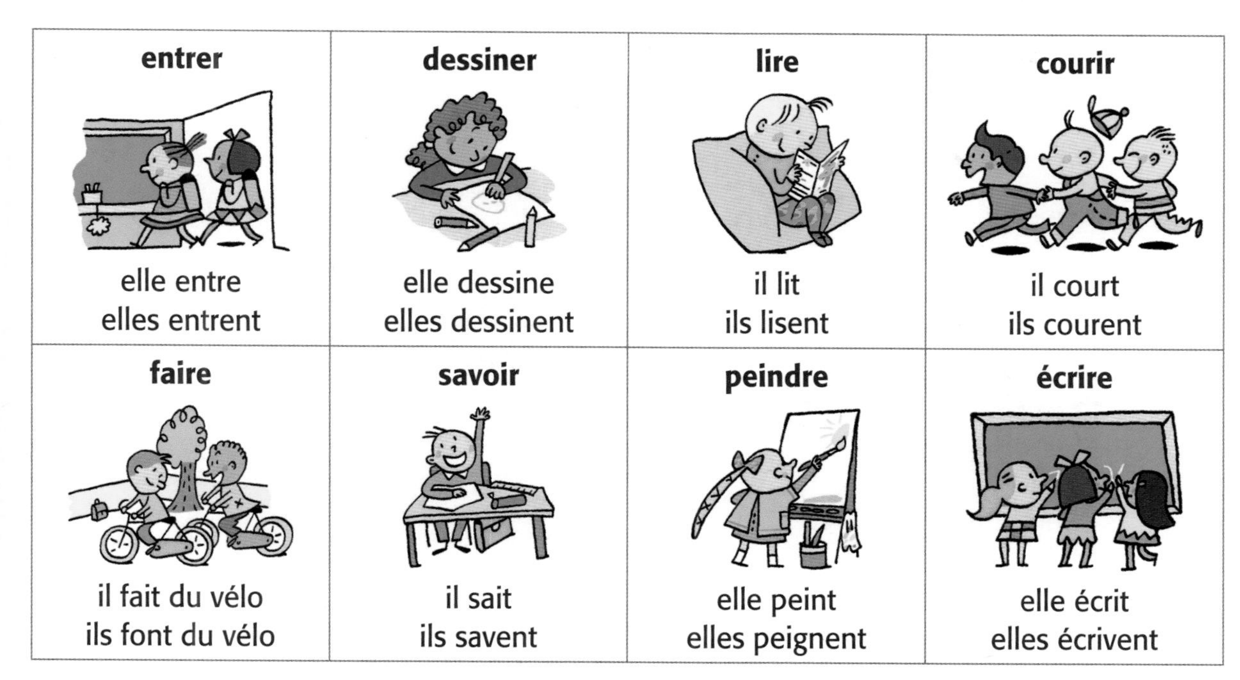

entrer	**dessiner**	**lire**	**courir**
elle entre elles entrent	elle dessine elles dessinent	il lit ils lisent	il court ils courent
faire	**savoir**	**peindre**	**écrire**
il fait du vélo ils font du vélo	il sait ils savent	elle peint elles peignent	elle écrit elles écrivent

1. Retrouve les verbes que tu sais déjà conjuguer.
   Quelle est leur terminaison quand le sujet est *il* ou *elle* ?
   quand le sujet est *ils* ou *elles* ?
2. Que remarques-tu pour les autres verbes au singulier et au pluriel ?
3. Quelles sont les lettres communes aux terminaisons de tous les verbes au pluriel ?

Je retiens

- Au singulier avec **il**, **elle**, le verbe au présent se termine par
  – **e** quand son infinitif se termine par *er*
  – **t** pour presque tous les autres verbes.
- Au pluriel avec **ils**, **elles**, le verbe au présent se termine toujours par **nt**.

1 J'entoure les terminaisons des verbes.

il attrape – ils boivent – elle dit
elles conduisent – ils vont – elle rit
elle voit – elles sortent – ils rêvent

2 Je dis les verbes au singulier et au pluriel puis je les écris.

1. **sauter** : il … elles …
2. **finir** : elle … ils …
3. **sentir** : il … elles …
4. **parler** : elle … ils …

3 J'écris un pronom sujet qui convient.

… boivent – … grandit – … part
… dorment – … peut – … ferment
… gagne – … ont – … est – … joue

4 J'écris au singulier.

1. **construire** : ils construisent – il …
2. **fermer** : elles ferment – elle …
3. **servir** : ils servent – elle …
4. **suivre** : elles suivent – il …

7 Les cinq sens

Sentir – L'odorat

Hmmm, ça sent bon !

Beurk, ça sent mauvais !

Avec ton nez, tu peux sentir des milliers d'odeurs différentes :
des odeurs agréables et des odeurs désagréables.
Parfois le nez peut avertir d'un danger, par exemple quand il y a une fuite de gaz ou une odeur de brulé.

C'est le fond du nez qui capte les odeurs dans l'air.
Quand tu as le nez bouché, l'air ne passe plus dans ton nez et tu ne sens plus rien.

Comment respires-tu quand tu as le nez bouché ?
Pour toi, quelles sont les bonnes odeurs ?
Que fais-tu quand tu sens une mauvaise odeur ?

L'odorat chez les animaux

Le chien d'avalanche est capable de repérer de loin l'odeur des personnes enfouies sous la neige.

L'éléphant peut sentir l'odeur de l'homme à plus d'un kilomètre.

Les fourmis communiquent entre elles grâce aux odeurs.
Si une fourmi rencontre un ennemi, elle libère une odeur qui prévient les autres fourmis de la menace.
Si elle trouve de la nourriture, elle libère une odeur sur le chemin du retour. Les autres peuvent ainsi se diriger vers la nourriture.

L'ordre alphabétique (3)

1. Ces quatre élèves doivent se ranger dans l'ordre alphabétique.
Explique comment ils font.

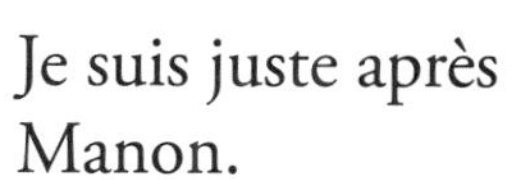
Je suis juste après Manon.

Je suis avant Manon.

Je suis le dernier.

Je suis entre Majda et Martin.

2. Ces mots sont rangés dans l'ordre alphabétique.
Comment a-t-on fait pour les ranger ?

coude – couleur – coup – courage – coussin – couteau

Je retiens

Pour ranger des mots dans l'ordre alphabétique :
– quand les deux premières lettres sont les mêmes, je regarde la troisième
– quand la troisième lettre est la même, je regarde la quatrième
– et ainsi de suite.

1 Je range dans l'ordre alphabétique.

1. livre – libre
2. patte – panda – papillon
3. âne – antilope – animal
4. ensemble – encourager – entrainer
5. détail – dessiner – décorer

2 Je recopie les listes. Je barre le mot qui n'est pas à sa place.

1. tapis – tarte – table – tasse
2. vacances – valise – vague – vanille
3. place – plante – platane – plaisir

3 Je range dans l'ordre alphabétique.

1. jour – joue
2. serpent – serviette – sérieux
3. saler – salir – salade – salon
4. boutique – boulangerie – boucherie

4 Je recopie les listes. Je barre le mot qui n'est pas à sa place.

1. année – anniversaire – annuler – annoncer
2. gribouiller – grimper – griffer – grignoter

5 Je range dans l'ordre alphabétique.

1. janvier – février – mars – avril – mai – juin – juillet
2. carte – enveloppe – timbre – colis – courrier – facteur
3. médicament – pharmacie – sirop – pansement – pommade – docteur
4. poire – pomme – pêche – fraise – framboise – cerise – clémentine
5. ski – plongée – escrime – patinage – course – escalade – parachutisme

7 Il, elle, ils, elles dans la chaine des accords

Il, elle, ils, elles sont des pronoms.
Ils reprennent un groupe nominal singulier ou pluriel.
Ils commandent l'accord du verbe au singulier ou au pluriel.

Pour bien contrôler la chaine des accords :

1. Je me demande : quel groupe nominal est repris par le pronom ?

Les grenouilles guettent les insectes. Elle(?) aime(?) les moustiques.

2. Je contrôle l'accord du groupe nominal.

Les grenouille(s) guettent les insectes. Elle(?) aime(?) les moustiques.

3. J'accorde le pronom avec le groupe nominal qu'il reprend.

Les grenouille(s) guettent les insectes. Elle(s) aime(?) les moustiques.

4. J'accorde le verbe avec le pronom.

Les grenouille(s) guettent les insectes. Elle(s) aim(ent) les moustiques.

1 Je souligne le pronom. J'entoure le groupe nominal qu'il reprend.

1. L'aigle observe le champ. Il guette les lapins.
2. Le hibou chasse les rats. Ils fuient dans leur terrier.

2 Je mets le groupe nominal en gras au pluriel, puis je récris les phrases.

1. **La taupe** creuse des galeries dans le potager. Parfois elle sort la tête du sol.
2. **Le chien** sent les odeurs de très loin. Il peut retrouver des personnes disparues.

3 Je mets le groupe nominal en gras au singulier, puis je récris les phrases.

1. **Des footballeurs** saisissent le ballon à la main. Ils sont en faute.
2. **Les danseuses** réussissent un grand saut. Puis elles saluent le public.

4 Quel est le groupe nominal repris par les pronoms en gras ?
Je mets ce groupe nominal au singulier, puis je récris le texte.

Des escargots décident de faire la course avec le soleil. **Ils** fixent un but : le potager plein de salades au bout du chemin. **Ils** veulent arriver avant le soleil. Alors **ils** partent dès le lever du jour. **Ils** rampent pendant trois jours, mais **ils** ne voient pas le temps passer. **Ils** finissent par atteindre le potager, en pleine nuit. Le soleil n'est pas là, il faut l'attendre.
Et voilà pourquoi les escargots pensent qu'**ils** avancent plus vite que le soleil.

J'apprends à écrire un texte documentaire (1)

titre

Quels sont les sens les plus développés chez le chien ?

introduction

Comme l'homme, le chien utilise ses cinq sens.
Comme chez tous les animaux, certains sens sont plus développés.

sous-titres

le texte

• L'odorat

Le chien a un nez très sensible.
Dès sa naissance, le chiot est capable de retrouver sa mère à son odeur.

L'odorat du chien lui sert pour chasser, pour se repérer, mais aussi pour choisir sa nourriture. Si l'odeur des aliments lui déplaît, il refuse de manger !

On utilise l'odorat du chien pour rechercher les personnes disparues, sous la neige ou sous les maisons effondrées après un tremblement de terre. Le chien sait aussi trouver les fuites de gaz, repérer les armes, les bombes…

Le nez du chien s'appelle la truffe.

• La vue

Le chien voit très bien la nuit, presque aussi bien que le chat.
Il peut voir une proie qui bouge à la seule lumière des étoiles.

1. **D'après toi, ce texte :**
   a. raconte une histoire de chien
   b. apporte des informations sur le chien
   c. donne des conseils pour élever son chien.
2. **Tu cherches un renseignement sur la vue du chien. Dois-tu lire tout le texte ?** Explique ta réponse.
3. **Tu veux répondre à la question du titre en une seule phrase. Quels mots choisis-tu ?** Explique ta réponse.
4. **Que montre la photographie ? Qu'apprends-tu avec le dessin ?**
5. **Observe les étiquettes : à quoi servent les différentes parties du texte ?**
6. **Retrouve ces parties dans ton manuel page 72 à partir du titre : Voir – La vue.**

Pour écrire un texte documentaire :
– Je lui donne un titre. Le titre peut être une question.
– J'écris une ou deux phrases pour présenter le texte.
– Je divise le texte en parties. Je donne un sous-titre à chaque partie.
– Je peux ajouter des images, des dessins pour illustrer ou mieux expliquer.

8 Les cinq sens

Gouter – Le gout

Ta langue est tapissée de petits grains, les **papilles**.
Les papilles te font connaitre le gout des aliments.

La langue reconnait quatre gouts :

le sucré   le salé   l'acide   l'amer

Donne un autre exemple d'aliment pour chaque gout.

Gouter et toucher

La langue est aussi un organe du toucher.

Elle est sensible au chaud et au froid

- Il t'est peut-être arrivé de te bruler la langue en mangeant un aliment trop chaud.
- C'est ta langue qui te fait, la première, apprécier la fraicheur d'une glace.

Elle reconnait la consistance des aliments

l'eau **liquide**

le miel **collant**

le biscuit **sec**

le gâteau **moelleux**

la poire **juteuse**

Le son /j/ comme dans escalier

Si tu as peur de t'ennuyer,
trempe tes pieds dans la rivière.
Ou encore ferme tes paupières
à l'ombre du vieux cerisier.

Si tu as peur de t'ennuyer,
prends l'escalier vers le grenier.
Là, dans un rayon de poussière,
ferme les yeux.
Tu partiras sur un voilier
qui t'emmènera sur la mer
pour un voyage mystérieux.

Quel après-midi délicieux
quand on a peur de s'ennuyer !

1. Cherche les mots de la comptine dans lesquels tu entends /j/ comme dans *escalier*.
Compte les syllabes.
Classe les mots dans le tableau.

1 syllabe	2 syllabes	3 syllabes	4 syllabes
		ennuyer	

2. Continue ton tableau :
Marque avec un point rouge la place du son dans la syllabe.
Entoure la lettre qui écrit le son.

1 syllabe	2 syllabes	3 syllabes	4 syllabes
		ennu[y]er	

J'apprends à écrire les mots outils.

derrière – hier – bien – bientôt – mieux – rien

Je retiens

J'apprends deux façons d'écrire le son /j/.

i	y
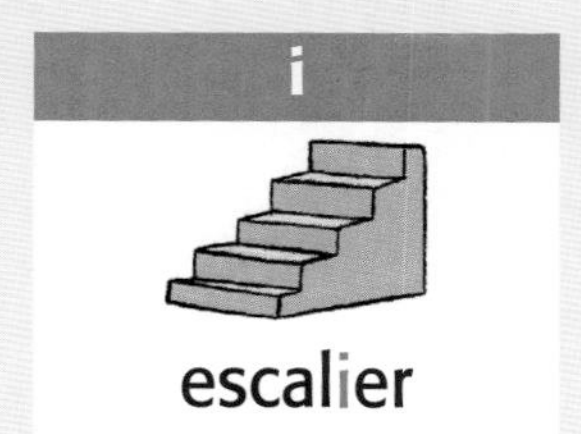 escalier	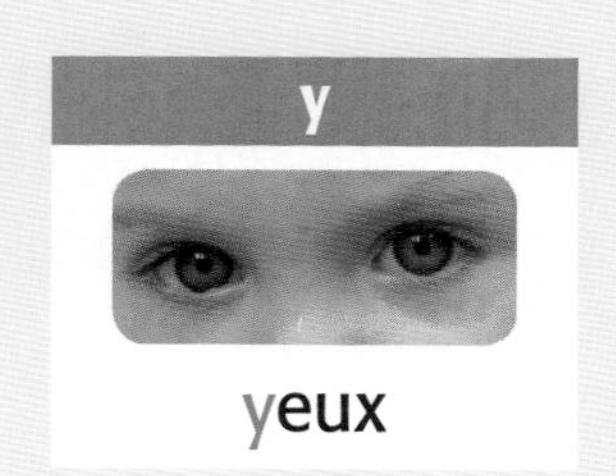 yeux

La lettre y remplace i-i entre deux voyelles : un crai-ion → un craiion → un crayon

À suivre…

8 Les cinq sens

Gouter – Voir – Sentir

Tu goutes aussi avec les yeux !

Des beaux fruits, un gâteau décoré, une assiette bien présentée
et même une jolie table te donnent envie de manger. Tu les dévores des yeux.
Tu as de l'appétit. Ta bouche se remplit de salive : tu as l'eau à la bouche.

Tu goutes aussi avec le nez !

Ça sent bon ! J'ai faim.

Ça ne sent pas bon. Je n'ai pas faim.

Fais l'expérience : bouche-toi le nez et mange un fruit que tu aimes.
Retrouves-tu le bon gout que tu aimes ?

Quand tu es enrhumé, quand tu as le nez bouché,
même les aliments que tu aimes ont moins de gout.

Le gout et les métiers

Le cuisinier invente des mélanges de saveurs.

Le boulanger fabrique différentes sortes de pains.

Le fromager vend des fromages qui ont tous un gout différent.

Le poissonnier prépare une bonne soupe de poissons.

cahier 2 p. 22

Le son /j/ comme dans **papillon**

L'épouvantail,
dans son habit de paille,
surveille les corneilles.
C'est son travail !

Dans son oreille,
un papillon
sommeille.
Et un grillon
court au soleil
sur ses orteils.

C'est le mois de juillet, petite fille.
C'est le mois des groseilles,
c'est le mois des bleuets,
des feuilles et des bouquets,
des vacances en famille.

1. Cherche les mots de la comptine dans lesquels tu entends /j/ comme dans *papillon*.
Compte les syllabes.
Classe les mots dans le tableau.

2 syllabes	3 syllabes	4 syllabes
		épouvantail

2. Continue ton tableau :
Marque avec un point rouge la place du son dans la syllabe.
Entoure les lettres qui écrivent le son.

2 syllabes	3 syllabes	4 syllabes
		épouvantail

Je retiens

Le son /j/ s'écrit de cinq façons. **J'en connais déjà deux. J'apprends les trois autres.**

j'entends /i/ juste avant /j/	je n'entends pas /i/ juste avant /j/	
ll	ill	il
papillon	feuille	soleil

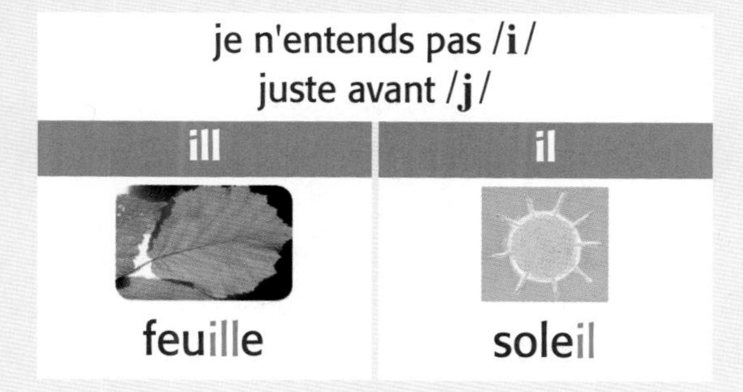

8 Les cinq sens

Entendre – L'ouïe

Tu entends un bruit. Même si tu ne vois pas ce qui a fait ce bruit, même si tu ne peux pas le toucher, tu sais que quelque chose a fait du bruit, grâce à tes oreilles : tu l'entends, tu le reconnais peut-être.

CRAC

Des sons arrivent à tes oreilles. Tu peux distinguer 400 000 sons différents !

Tu entends des paroles, le chant des oiseaux, le son de la cloche.

Faites un grand silence dans la classe. Quels sons entends-tu ?

un son faible ... un son fort

un son aigu ... un son grave

Fais avec ta voix un son fort, un son faible, un son aigu, un son grave.

- Tu entends des sons désagréables, des bruits : tu te bouches les oreilles.
- On murmure à ton oreille. Le son est faible, alors : tu tends l'oreille.
- Tu entends une musique agréable, qui te plait : tu ouvres grand les oreilles.

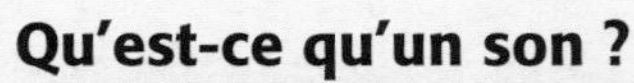

Qu'est-ce qu'un son ?

Tiens le verre d'une main. Avec ton autre main, tire l'élastique vers le haut puis lâche-le : tu vois l'élastique vibrer et tu entends un son.
Demande à un camarade de tirer l'élastique sur le côté.
Tire à nouveau l'élastique et lâche : le son est plus aigu.
Un son, c'est une vibration qui arrive jusqu'à tes oreilles.

cahier 2 p. 24

L'adjectif qualificatif

1. Pour chaque phrase, dis quelle vache elle décrit : **A** ou **B** ?

1. C'est une vache blanche.
2. C'est une vache rousse.
3. Elle a des petites cornes droites.
4. Elle a des pattes courtes.
5. Elle a le poil long.
6. Elle a des pattes longues.
7. Elle a le poil ras.
8. Elle a des grandes cornes recourbées.

2. Quels sont les mots qui t'ont permis de décider ?

3. Essaie de supprimer ces mots. Que se passe-t-il ?

Je retiens

- **L'adjectif qualificatif** apporte des précisions au groupe nominal.
  Il se place :
  – après le nom : le poil **long**
  – entre le déterminant et le nom : des **petites** cornes.
- On peut préciser un groupe nominal avec plusieurs adjectifs qualificatifs :
  des **grandes** cornes **recourbées**

À suivre…

1 Je souligne l'adjectif qualificatif.

1. un lait chaud – un lait froid
2. un bon repas – un mauvais repas
3. un petit bol – un grand bol
4. un miel fort – un miel doux

2 Je choisis l'adjectif qualificatif qui convient.

une fleur bleue ? blanche ?

le feu rouge ? vert ?

une mer calme ? agitée ?

un verre plein ? vide ?

3 Je recopie la description du chien qui a remporté le concours.

La compétition a opposé :
– un petit chien blanc
– un grand chien blanc
– un petit chien noir.

4 Je supprime les adjectifs qualificatifs et je recopie la phrase.

Le marchand mélange tout : les tomates mures et les tomates vertes, les cerises rouges et les cerises noires.

8 Les cinq sens

Les animaux entendent, chacun à sa manière

La chauvesouris a un sonar. Elle émet des sons très puissants, mais l'oreille de l'homme ne peut pas les entendre. Le son rebondit sur les objets et revient vers les oreilles de la chauvesouris.
Elle ne se cogne donc jamais contre un obstacle.

Tous **les oiseaux** ont des oreilles, et ils entendent bien. Mais leurs oreilles ne ressemblent pas aux nôtres : c'est un simple trou.

Le lapin n'a pas d'autre moyen de défense que se cacher ou fuir. Sa très bonne ouïe lui sert à détecter l'arrivée d'ennemis. Il peut orienter ses grandes oreilles pour écouter dans différentes directions en même temps.

L'ouïe et les métiers

Le facteur (le fabricant) **d'instruments de musique** doit avoir une bonne oreille pour savoir si l'instrument qu'il fabrique donnera de beaux sons.

Le preneur de son enregistre la musique. Puis il supprime les bruits désagréables.

Avec toutes sortes d'objets, **le bruiteur** reproduit des sons qui ressemblent très exactement aux vrais. Dans un film, quand tu entends tomber la pluie, le bruiteur a simplement fait tomber du riz sur un parapluie.

cahier 2 p. 25

Le futur

Quand je serai grande, je cultiverai des fleurs.
Toutes les fleurs du monde pousseront dans mon jardin.
Je ferai aussi une émission à la télévision.
J'apprendrai aux enfants à respecter la nature.
Et toi, qu'est-ce que tu feras ?

Avec mon frère, nous aurons un restaurant.
Il fera la cuisine et moi je fabriquerai les gâteaux.
Dans notre restaurant, les enfants mangeront ensemble autour d'une grande table, puis ils joueront. Pendant ce temps, les parents dineront tranquillement. Bien sûr, vous serez invités !

1. Ces enfants parlent-ils du présent ? du passé ? du futur ?
2. Classe les verbes conjugués dans ce tableau.
   Quand le sujet du verbe est un groupe nominal, remplace-le par un pronom.

je, j'	tu	il, elle	nous	vous	ils, elles

3. Observe les terminaisons. Que remarques-tu ?

Je retiens

Conjuguer au **futur**, c'est facile.
Les terminaisons sont les mêmes pour tous les verbes.

je …rai tu …ras il …ra elle …ra
nous …rons vous …rez ils …ront elles …ront

Avec *ils*, *elles*, il y a toujours **nt** à la fin du verbe, comme au présent.

1 Je remplace *je* par *elle*.

Quand je serai grande, je cultiverai des fleurs. Je ferai une émission à la télévision. J'apprendrai aux enfants à respecter la nature.

2 Je remplace *je* par *ils*.

J'aurai un restaurant. J'irai au marché tous les jours. Je fabriquerai les gâteaux. Je préparerai des plats pour les enfants.

8 Les cinq sens

Et quand un sens ne fonctionne pas ?

Les autres sens se développent.

Les personnes sourdes n'entendent pas

Certaines personnes ont perdu **l'ouïe** à la suite d'un accident ou à cause d'une maladie.
D'autres sont nées sourdes.
Elles sont aussi souvent muettes : elles n'entendent pas parler, elles ne peuvent pas apprendre à parler.

C'est grâce à **la vue** qu'elles communiquent avec les autres. Les sourds-muets utilisent une langue des signes : des gestes des mains, des bras, des mouvements des yeux, des expressions du visage, que l'on apprend exactement comme une autre langue.

Protège tes oreilles

Si tu écoutes souvent de la musique forte avec des écouteurs sur les oreilles, tu peux devenir sourd.

Bonjour !

Ça va.

Jouer

Dormir

Les personnes aveugles ne voient pas

Elles reconnaissent les objets au **toucher**. Elles se déplacent avec une canne blanche qui prolonge leur main. Souvent elles entendent très bien et beaucoup d'entre elles exercent des métiers du son.
Dans certaines villes, les feux de circulation sont sonores. Quand le feu passe au vert pour les piétons, un signal sonore se déclenche. Les aveugles traversent sans danger.

L'alphabet braille permet de lire avec les doigts

- On écrit chaque lettre en utilisant un rectangle de six points.
- Les points en relief donnent la lettre.
- On lit en touchant ces points en relief.

Un ami aveugle t'a envoyé ce message. Déchiffre-le avec tes yeux.

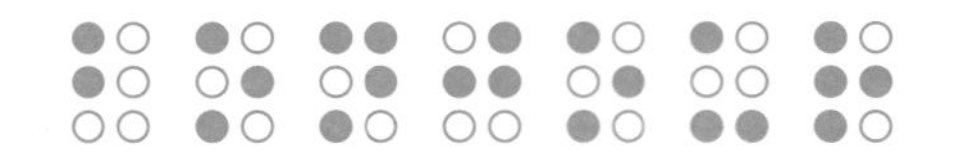

A B C D E F G H I J

K L M N O P Q R S T

U V W X Y Z

cahier 2 p. 26

Le dictionnaire (1)

Observe cette double page de dictionnaire.

lire

370

A B C D E F G H I J K L M N O P Q R S T U V W X Y Z

lire verbe
1. Lire, c'est regarder ce qui est écrit et le comprendre. *Au C. P., nous apprenons à lire. Bérénice sait lire son nom. Victor a lu la lettre de Mathilde.*
2. *Le soir, Maman me lit une histoire,* elle dit à haute voix une histoire qui est écrite dans un livre.
■ Cherche aussi **lecture**.

lisse adjectif
Le bois de la table est lisse, il est doux, il n'y a rien qui dépasse quand on le touche.
■ Le contraire de lisse, c'est **rugueux**.
■ Ne confonds pas lisse et **lis**.

liste nom féminin
Une liste, c'est une suite de mots ou de noms écrits les uns au-dessous des autres. *Papa fait la liste de toutes les choses qu'il doit acheter au supermarché.*

Amandine **lit** dans son **lit**.

lis nom masculin
Un lis, c'est une grande fleur blanche qui sent très bon.
■ On prononce le **s**.
■ Ne confonds pas lis et **lisse**.

lisible adjectif
L'écriture du maître est très lisible, elle est facile à lire.
■ Le contraire de lisible, c'est **illisible**.

lisiblement adverbe
Anna, écris lisiblement! écris bien pour que ton écriture soit facile à lire.

lisière nom féminin
La lisière d'une forêt, c'est l'endroit où la forêt s'arrête. *La route suit la lisière de la forêt.*

lit nom masculin
Un lit, c'est un meuble sur lequel on se couche pour dormir. Il a deux parties : le sommier et le matelas sur lequel on met des draps et des couvertures. *Louna, il est tard, c'est l'heure d'aller au lit.*

litière nom féminin
1. La litière, c'est la paille que l'on met par terre dans les étables et les écuries. *Les vaches se couchent sur la litière.*
2. La litière, c'est le sable spécial dans lequel les chats font leurs crottes. *Camille change la litière du chat.*

371

location

litre nom masculin
Le litre sert à mesurer les liquides. *Cette bouteille contient un litre d'eau.* ■ On écrit aussi : « Elle contient 1 l d'eau. »

littérature nom féminin
La littérature, c'est l'ensemble des livres qui ont été écrits par des écrivains. *« Le Petit Prince » de Saint-Exupéry appartient à la littérature française.*

livraison nom féminin
Maman attend la livraison du nouveau canapé, elle attend que les employés du magasin où elle a acheté un canapé le lui apportent à la maison. ■ On va **livrer** le canapé.

① **livre** nom masculin
Un livre, c'est un ensemble de feuilles de papier imprimées attachées sur le côté et recouvertes d'une couverture. *Mon petit frère fait semblant de lire mon livre, mais il regarde seulement les images.*

② **livre** nom féminin
Une livre, c'est la moitié d'un kilo, c'est 500 grammes.

livrer verbe
On doit livrer le nouveau canapé demain, demain des employés vont apporter à la maison le canapé qu'on a acheté.

livreur nom masculin, **livreuse** nom féminin
Un livreur, une livreuse, c'est une personne qui livre une marchandise que l'on a achetée. *Le livreur viendra jeudi à 14 heures.*

local nom masculin
Un local, c'est une pièce spéciale dans un bâtiment. *Lucie range son tricycle dans le local à vélos de l'immeuble.*
➾ Au pluriel : des **locaux**.

locataire nom masculin et féminin
Un locataire, une locataire, c'est une personne qui donne de l'argent pour habiter dans un logement qui n'est pas à elle.
■ La personne à qui appartient le logement est le **propriétaire**.
■ Cherche aussi **louer** et **loyer**.

Candice a étalé ses **livres** par terre.

Papi voulait une **livre** de cerises mais il y en a un kilo.

location nom féminin
Monsieur Rouget a payé 150 euros pour la location de la voiture, il a donné 150 euros pour qu'on lui prête une voiture. ■ Il a **loué** une voiture.

a b c d e f g h i j k l m n o p q r s t u v w x y z

Le Robert Benjamin, 2014.

1. Par quelle lettre commencent tous les mots ?
2. Où cette lettre est-elle indiquée ? Comment est-elle indiquée ?
3. Cherche les mots *lire* et *location* dans la double-page.
   À quoi servent les mots en haut de la page ?
   Pourquoi les trois premières lettres sont-elles soulignées ?
4. Tu veux chercher le mot *liste*.
   Sans regarder la page, peux-tu savoir s'il est dans cette page ? Vérifie ta réponse.
5. Tu veux chercher le mot *lion*.
   Sans regarder la page, peux-tu savoir s'il est dans cette page ? Vérifie ta réponse.

Je retiens

Les mots écrits tout en haut des pages du dictionnaire servent à savoir où on est, à se repérer dans l'ordre alphabétique.
Ce sont **des mots-repères**.

8 ail ou aille ? eil ou eille ?

1. Je classe les mots dans le tableau.

je travaille – le travail – il travaille – une bataille
une paille – le portail – une médaille – le corail
un épouvantail – une écaille – la muraille
un détail – la taille – je taille – elle taille

nom masculin	nom féminin	verbe
…	…	…

J'observe mon tableau :
– comment se terminent les noms masculins ?
– comment se terminent les noms féminins ?
– comment se terminent les verbes conjugués avec *je* et *il* ?

2. Je classe les mots dans le tableau.

un conseil – je conseille – elle conseille
une bouteille – une abeille – le soleil
le réveil – je réveille – il réveille – un appareil
une oreille – un orteil – le sommeil – je sommeille
il sommeille – je surveille – elle surveille – une corbeille

nom masculin	nom féminin	verbe
…	…	…

J'observe mon tableau :
– comment se terminent les noms masculins ?
– comment se terminent les noms féminins ?
– comment se terminent les verbes conjugués avec *je* et *il* ?

Je retiens

ail ou **aille** ? **eil** ou **eille** ?

- Le nom est masculin : il se termine par **ail** ou par **eil**.
- Le nom est féminin : il se termine par **aille** ou par **eille**.
- Le verbe **est conjugué avec *je* ou *il*** : il se termine par **aille** ou **eille**.

À suivre au CE2…

1 J'écris *un* ou *une* devant le nom.

… éventail – … groseille – … appareil – … merveille – … vitrail

2 Je complète avec des mots des activités 1 et 2.

1. Un ouvrier répare le … de la cour.
2. Une … m'a piqué sur l'… .
3. Le matin, quand le … sonne, je me lève, mais j'ai encore … .
4. Thomas … son petit frère qui joue dans le bac à sable.
5. Le poissonnier enlève les … des poissons.

J'apprends à écrire un texte documentaire (2)

1. **Je lis cette fiche de présentation du hérisson.**
   Pour chaque partie en couleur, je me demande : à quelle question répond-elle ?

LE HÉRISSON

Taille : longueur : 20 à 30 centimètres
hauteur : 12 à 15 centimètres

Poids : entre 500 grammes et 2 kilogrammes

Couleur : gris foncé ou brun

Corps : dos et tête couverts de piquants épais
qui peuvent se dresser

Sens : vue très faible
ouïe et odorat très développés

Habitat : terrier ou tronc d'arbre

Alimentation : chasse la nuit
insectes, vers, escargots, limaces, fruits et baies

2. **Je lis maintenant ce texte.**
   – Je cherche les différences entre le texte et la fiche de présentation.
   – Je retrouve les parties du texte documentaire que je connais.
   – Je réfléchis : que faut-il faire pour transformer la fiche en texte ?

Le hérisson

Le soir, à la tombée de la nuit, on peut rencontrer un hérisson
dans les jardins, dans les buissons ou au bord de la route.

- **Description**

Le hérisson est un petit animal gris foncé ou brun.
Il mesure environ 40 centimètres de long et 15 centimètres de haut
et il pèse entre 500 grammes et 2 kilogrammes.
Son dos et sa tête sont couverts de piquants qui peuvent se dresser.

- **Quels sens sont développés chez le hérisson ?**

La vue du hérisson est très faible. Son ouïe et son odorat sont très développés.

- **Où vit-il ?**

Le hérisson vit dans un terrier ou dans un tronc d'arbre.

- **Que mange-t-il ?**

Le hérisson se nourrit d'insectes, de vers, d'escargots, de limaces,
de fruits et de baies. Il chasse la nuit.

9 L'Exploracœur

Scène 1

Musique. Danse des Plocs dans la forêt.
Quand un Ploc parle, il sautille sur place et agite les bras, pour que les spectateurs le repèrent plus facilement.

Tictic : Quoi de neuf dans la forêt ?

Les Plocs : Rien, Tictic ! Rien de rien…

Tactac traverse la salle en sautillant.

Tactac : Oh, si !

Les Plocs : Tiens, voilà Tactac !

Tactac monte sur scène.

Tictic *(à Tactac)* : Quoi de neuf dans la forêt ?

Tactac : Un explorateur…

Tuctuc : Un explorabeurre ?

Toctoc : Un explorapeur ?

Touctouc : Un exploracœur ?

Les Plocs : Malheur !

Tictic : Chut ! Laissez-le parler !

Tactac leur fait signe d'approcher.

Tactac : Un explorateur sans peur et sans reproche.

Tuctuc : Sans beurre ?

Toctoc : Sans sœur ?

Touctouc : Sans cœur ?

Les Plocs : Qu'est-ce que c'est ?

Tactac : Un drôle de bonhomme avec une loupe…

Tuctuc : Une poule ?

Toctoc : Une bouche ?

Touctouc : Une mouche ?

Les Plocs : C'est louche !

Tictic : Chut ! Laissez-le parler !

cahier 2 p. 36

Le son /ø/ comme dans **feu**
Le son /œ/ comme dans **fleur**

Pourquoi as-tu tiré les cheveux de ta sœur ?
Elle pleure !
Où as-tu mis ton feutre bleu
et tes crayons de couleur ?
Quand seras-tu un peu sérieux ?
Quand apprendras-tu tes leçons par cœur ?

Pourquoi ? Où ? Quand ?
Vous êtes bien curieux, mes parents !

Je voulais accrocher deux fleurs dans ses cheveux.
Ils étaient pleins de nœuds.
J'ai laissé mes couleurs dormir au coin du feu.
Je sais ma poésie du début au milieu.
Je la réciterai demain au professeur,
avec le ton, les gestes et le nom de l'auteur.

1. **Cherche les mots de la comptine dans lesquels tu entends /ø/ comme dans *feu* ou /œ/ comme dans *fleur*.**
   Compte les syllabes.
   Classe les mots dans le tableau.

1 syllabe	2 syllabes	3 syllabes
	cheveux	

2. **Continue ton tableau :**
   Marque avec un point rouge la place du son dans la syllabe.
   Entoure les lettres qui écrivent le son.

1 syllabe	2 syllabes	3 syllabes
	chev[eu]x	

Je retiens

Les sons /ø/ et /œ/ s'écrivent avec les mêmes lettres.

eu	œu	eu	œu

le feu	un nœud	une fleur	le cœur

9 L'Exploracœur

Scène 2

Tactac regarde aux alentours, puis il continue de parler.

Tactac : Un explorateur avec un grand sac…

Tuctuc : Un crac ?

Toctoc : Un lac ?

Touctouc : Un bac ?

Les Plocs : Quel bric-à-brac !

Tictic : Chut ! Laissez-le parler !

Tactac observe les spectateurs, puis ajoute :

Tactac : Un explorateur avec un appareil photo…

Tuctuc : Un appareil moto ?

Toctoc : Un appareil toto ?

Touctouc : Un appareil loto ?

Les Plocs : Quel concerto !

Tictic : Chut ! Laissez-le parler !

Tactac mime une petite barbichette avec son doigt.

Tactac : Un explorateur avec une barbichette…

Tuctuc : Une balayette ?

Toctoc : Une bicyclette ?

Touctouc : Une bobinette ?

Les Plocs : Quelle brochette !

Tictic : Chut ! Laissez-le parler !

Tactac se met à trembler en montrant le fond de la salle.

Tactac : Aïe, aïe, aïe ! Il débarque… C'est lui ! Cachons-nous !

Les Plocs se mettent à trembler en montrant le fond de la salle.

Les Plocs *(en s'enfuyant)* : Cachons-poux ! Cachons-choux !
Chaussons-mous !

Musique. Les Plocs se cachent.

cahier 2 p. 38

Le son /ʒ/ comme au début de **girafe**

Le dernier jeudi de juin,
un pigeon, dans le jardin,
a mangé pour déjeuner
les bourgeons de mon rosier.
Quel sauvage !

Puis il a plongé son bec
dans mon verre d'orangeade.
Il est malade !

Qui es-tu, étrange pigeon ?

Je suis un pigeon voyageur.
Sous le soleil et les nuages,
je porte un fragile message
aux girafes de l'équateur.

1. Cherche les mots de la comptine dans lesquels tu entends /ʒ/ comme au début de *girafe*.
Compte les syllabes.
Classe les mots dans le tableau.

1 syllabe	2 syllabes	3 syllabes	4 syllabes
	jeudi		

2. Continue ton tableau :
Marque avec un point rouge la place du son dans la syllabe.
Entoure les lettres qui écrivent le son.

1 syllabe	2 syllabes	3 syllabes	4 syllabes
	jeudi		

J'apprends à écrire des mots outils.

aujourd'hui – déjà – jamais – toujours – jusqu'à

Je retiens

Le son /ʒ/ s'écrit de trois façons.

g	ge	j
devant i et e	devant a, o, u	
		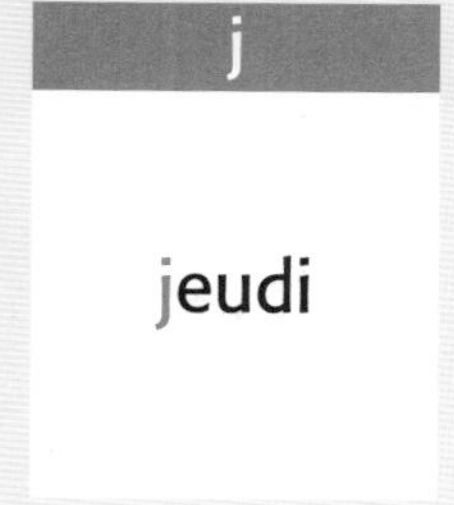
la girafe	un pigeon	jeudi

9 L'Exploracœur

Scène 3

Prosper Huc, l'exploracœur, traverse la salle en tenant une loupe et un grand sac. Il a une petite barbichette. Il porte un appareil photo autour du cou et une perruque sur la tête.

Prosper : Moi, Prosper Huc, je suis un exploracœur sans peur et sans reproche.
Je viens de faire une découverte exceptionnelle. *(Il marche d'un côté, de l'autre.)*
Il y a un peuple inconnu dans cette forêt lointaine…
Musique : « Dans la forêt lointaine, on entend le coucou… ».
Prosper : Je ne me trompe jamais. *(Il lève le doigt.)* Par exemple…
Je parie qu'un coucou et un hibou se trouvent tout près d'ici.
Sur le côté de la scène, les Plocs se mettent à chanter.
Les Plocs *(chantent)* : Dans la forêt lointaine, on entend le coucou.
Du haut de son grand chêne, lui répond le hibou.
Toctoc *(chante)* : Coucou, hibou ! Coucou, hibou !
Tuctuc *(chante)* : Ouh ouh, coucou ! Ouh ouh !
Prosper *(ne voit pas les Plocs)* : J'avais raison.
(Il se met à quatre pattes.) Oh, oh ! Des traces de pattes dans la boue…
Les Plocs, en file indienne, suivent Prosper Huc.
Prosper : Ce ne sont pas des coqs…
Les Plocs : Des coqs ?
Prosper *(étonné, sans se retourner)* : Est-ce l'écho ?
Les Plocs : C'est l'écho, c'est l'écho…
Prosper *(Il se gratte la tête.)* : C'est l'écho du coq ou l'écho du phoque…
(Il regarde par terre.) Pourtant, ce ne sont pas des phoques…
Les Plocs : Des phoques ?
Prosper Huc se retourne et aperçoit les Plocs.
Prosper *(effrayé)* : Ah !
Les Plocs : Pas des coqs, ni des phoques, mais des Plocs !
Prosper Huc s'évanouit, en enlevant discrètement sa perruque. Sous la perruque, il porte un bonnet de piscine couleur chair pour avoir l'air chauve.

cahier 2 p. 40

L'accord de l'adjectif qualificatif

BALLONS INTERDITS

- Sur chaque panneau, quel est le nom ? Quel est l'adjectif qualificatif ? Observe la terminaison des adjectifs qualificatifs ? Que remarques-tu ?

Je retiens

- **L'adjectif qualificatif s'accorde avec le nom qu'il précise.**

– Quand le nom est masculin, l'adjectif est au masculin : un chemin étroit.
Quand le nom est féminin, l'adjectif est au féminin : une route étroite.

– Quand le nom est au singulier, l'adjectif est au singulier : une route étroite.
Quand le nom est au pluriel, l'adjectif est au pluriel : des routes étroites.

- **Pour former le féminin de l'adjectif qualificatif, on ajoute un *e* au masculin.**
Quand l'adjectif se termine par *e* au masculin, il ne change pas au féminin : un pull rouge, une robe rouge.

9 L'Exploracœur

Scène 4

Les Plocs sautillent autour de Prosper Huc.

Les Plocs : Quel choc !

Tactac *(ramasse le sac de Prosper)* : Parole de Tactac, prenons son sac…

Les Plocs : Et tac !

Tictic *(prend la loupe)* : Parole de Tictic, cachons sa loupe en plastique…

Les Plocs : Chic, chic, chic !

Tuctuc *(ramasse la perruque)* : Parole de Tuctuc, quel est donc ce truc ?

Prosper *(se relève)* : Rendez-moi ma perruque !

Les Plocs reculent d'un pas, en tremblant.

Prosper : N'ayez pas peur ! Je suis Prosper Huc, l'exploracœur.

Touctouc : Un exploracœur ?

Prosper : Oui, mais s'il vous plait, rendez-moi ma perruque.
(Il se frotte la tête.) J'ai horreur des courants d'air.

Tictic : Tuctuc ! Donne au père Huc sa perruque !

Tuctuc obéit.

Prosper *(remet sa perruque)* : Merci. *(Il regarde les Plocs.)* Fantastique !
Des Clocs !

Les Plocs : Non, des Plocs.

Tactac : Des Plocs coquets…

Tuctuc : Des Plocs qui croquent…

Toctoc : Des Plocs épiques…

Touctouc : Durs comme du roc !

Tictic fait signe aux Plocs de l'entourer.

Tictic *(chuchote)* : Ce Prosper Huc n'a pas l'air dangereux.

Tactac : Il cache peut-être son jeu…

Tuctuc : Quel feu ?

Toctoc : Quel vœu ?

Touctouc : Quel vieux ?

Les Plocs : C'est curieux !

Tictic : Nous pouvons lui faire confiance.

Le futur des verbes **être** et **avoir**

1. Relève les formes conjuguées du verbe *être* et du verbe *avoir* dans le tableau.

être	avoir
...	...

2. Au futur, le verbe *être* et le verbe *avoir* se conjuguent-ils comme les autres verbes ?

Je retiens

Le futur du verbe être	
je **serai**	nous **serons**
tu **seras**	vous **serez**
il **sera**	ils **seront**
elle **sera**	elles **seront**

Le futur du verbe avoir	
j' **aurai**	nous **aurons**
tu **auras**	vous **aurez**
il **aura**	ils **auront**
elle **aura**	elles **auront**

9 L'Exploracœur

Scène 5

Tictic tend la loupe à Prosper. Tactac lui rend son sac.

Prosper : Merci, mes amis.

Tactac : Qu'allez-vous faire, père Huc ?

Prosper : Annoncer au monde entier l'existence des Plocs.

Les Plocs : Surement pas !

Prosper : Pourquoi ?

Tictic : Notre forêt serait envahie.

Tactac : Nous ne pourrions plus vivre en paix.
Nous ne voulons pas devenir célèbres.

Touctouc : Pas de snack au bord du lac !

Tuctuc : Pas de claque ni de public !

Toctoc : Pas de tactique ni d'attaque…

Touctouc : Pas de troc avec les Plocs !

Les Plocs : Le troc, on s'en moque !

Prosper hoche la tête.

Prosper : Je suis un exploracœur déçu…
Mais comme j'ai le cœur sur la main, quelques photos me suffiront.

En musique, Prosper Huc prend les Plocs en photo.

Prosper : Je ne les montrerai à personne.

Les Plocs : Promis, juré ?

Prosper : Parole de Prosper Huc ! Vous pourrez vivre libres et heureux.

Il ramasse son sac et en sort des cœurs en papier qu'il lance comme des confettis.

Maintenant, en souvenir de moi, chantez mes amis ! Chantez tous en chœur !

Les Plocs *(chantent)* : Dans la forêt lointaine, on entend le coucou.
Du haut de son grand chêne, lui répond le hibou…
Coucou, hibou ! Coucou, hibou !

Chant et danse des Plocs pendant que Prosper Huc agite la main et s'éloigne dans la salle. La lumière s'éteint progressivement. Noir.

FIN

Les synonymes

Ça y est, j'ai effacé le tableau.
Ça y est, j'ai essuyé le tableau.

1. Les élèves ont-ils fait ce que la maitresse leur a demandé ? Explique ta réponse.
2. Quel est le seul mot qui change entre la phrase de Sarah et celle de Maxime ?
3. Explique pourquoi les deux phrases veulent dire la même chose.
   a. Julie a rendez-vous chez le docteur. b. Julie a rendez-vous chez le médecin.

Je retiens

Les **synonymes** sont des mots qui ont le **même sens** ou presque le même sens.

1 Je recopie les adjectifs synonymes deux par deux.

calme	célèbre
drôle	énervé
excité	tranquille
connu	bizarre
étrange	amusant

2 Je recopie les noms synonymes deux par deux.

vêtement	voiture
écolier	chaussures
auto	habit
souliers	copain
ami	élève

3 Je recopie les verbes synonymes deux par deux.

écrire	partager
peler	terminer
diviser	marquer
finir	forcer
obliger	éplucher

4 Je recopie le mot en bleu et son synonyme.

1. bâtir travailler – immeuble – construire
2. content joie – heureux – rire
3. répéter redire – spectacle – gronder
4. frisé cheveux – bouclé – mouton
5. pierre mur – caillou – tomber

9 Accorder l'adjectif qualificatif (1)

- **L'adjectif qualificatif s'accorde avec le nom qu'il précise**
  – au masculin singulier – au féminin singulier.
- **Pour former le féminin de l'adjectif qualificatif, on ajoute un e au masculin.**
  Quand l'adjectif se termine par *e* au masculin, il ne change pas au féminin : un pull rouge, une robe rouge.

Pour bien contrôler la chaine des accords, je me demande :
quel nom l'adjectif précise-t-il ? Est-il masculin ou féminin ?

un chemin◯ étroit(?)
L'adjectif précise *un chemin*.
Un chemin est un nom masculin.
J'écris l'adjectif au masculin.
un chemin◯ étroit◯

une route◯ étroit(?)
L'adjectif précise le nom *route*.
Une route est un nom féminin.
J'écris l'adjectif avec le *e* du féminin.
une route◯ étroit(e)

un salon◯ éclairé(?)
L'adjectif précise *un salon*.
Un salon est un nom masculin.
J'écris l'adjectif au masculin.
un salon◯ éclairé◯

une chambre◯ éclairé(?)
L'adjectif précise le nom *chambre*.
Une chambre est un nom féminin.
J'écris l'adjectif avec le *e* du féminin.
une chambre◯ éclairé(e)

1 Je choisis la forme de l'adjectif qualificatif qui convient.

1. rond – ronde — un caillou …
2. rusé – rusée — une renarde …
3. dernier – dernière — le … chapitre
4. creux – creuse — un arbre …
5. fort – forte — une … fièvre
6. glacé – glacée — un dessert …
7. étranger – étrangère — une langue …
8. sérieux – sérieuse — une histoire …

2 J'écris l'adjectif au féminin.

une fenêtre *(ouvert)* …
ma musique *(préféré)* …
une personne *(normal)* …
une hirondelle *(rapide)* …
une *(grand)* … tempête
une personne *(curieux)* …

3 J'écris l'adjectif au masculin.
Je n'oublie pas la lettre muette : je l'entends au féminin.

une région déserte : un endroit …
une fille gourmande – un garçon …
une description précise : un dessin …
une pie bavarde – un perroquet …

cahier 2 p. 46

J'apprends à écrire un portrait

Hiro est un jeune garçon grand et très mince, au visage long et à la peau brune. Il a des cheveux noirs avec des reflets bleus, un drôle de petit nez, large et retroussé. Ses yeux sombres et bridés sont aussi souriants que sa bouche fine. Hiro parle si doucement qu'on dirait qu'il chante. Toujours vêtu d'un pantalon bleu, de baskets et d'un large pull orange, il marche si légèrement qu'on dirait qu'il danse.

1. **Dans ce portrait de Hiro, qu'apprends-tu :**
   sur sa taille ? sur ses vêtements ?
   sur ses gestes ? sur son visage ?
   sur les parties de son visage ? sur sa voix ?

   Lequel des deux dessins correspond au portrait de Hiro ? Explique ta réponse.

2. **Associe chaque visage à son portrait. Explique tes réponses.**

a. Iris a le visage rond, des cheveux longs et bouclés, un petit nez retroussé, des yeux verts et souriants.
b. Flore a un visage rond, les joues roses pleines de petites taches de rousseur, les yeux verts, les cheveux courts, roux et frisés.
c. Mélusine a un visage rond et pâle, les yeux clairs. Ses cheveux roux sont coiffés en tresses enroulées sur ses oreilles.

Pour écrire le portrait de quelqu'un :
– Je le présente : je dis qui il est, comment il s'appelle, je décris sa taille, ses vêtements, ses gestes…
– Je décris son visage : sa forme, les cheveux, les yeux, la bouche, le nez…
Pour bien décrire, j'utilise des adjectifs qualificatifs.

10 Pour qui sont ces chaussures-ci ?

Corinne Albaut,
À chacun son rôle,
Éditions Actes Sud, 2001.

PERSONNAGES
Un vendeur et cinq clients
DÉCOR ET ACCESSOIRES
Un magasin de chaussures avec de nombreuses paires de chaussures, les plus variées possibles.

Scène 1

Client n° 1 : Bonjour, je voudrais une paire de chaussures.
Vendeur : Oui. Quel genre de chaussures ?
Client n° 1 : Je ne sais pas. Qu'est-ce que vous avez ?
Vendeur : Des chaussures à lacets, à boucles, à crochets, à velcro, à élastiques…
Client n° 1 : Hum… Oui, oui, oui… Qu'est-ce que vous me conseillez ?
Vendeur : Ça dépend si c'est pour la ville, la campagne, le sport…
Client n° 1 : C'est pour marcher.
Vendeur : Je vois. Dans ce cas, je vous laisse choisir.

Entre le deuxième client.

Vendeur : Bonjour. Puis-je vous aider ?
Client n° 2 : Oui. Je cherche des chaussures à trottinette.
Vendeur : Qu'est-ce que vous appelez des chaussures à trottinette ?
Client n° 2 : C'est des chaussures avec deux semelles de hauteurs différentes : une plate pour poser sur la trottinette, et une plus haute pour le trottoir, pour rétablir l'équilibre.
Vendeur *(perplexe)* **:** Ah non, désolé, je ne fais pas cet article.
Le deuxième client sort en haussant les épaules.

Quels sons écrit-on avec la lettre **c** ?

1. Suis les chemins de couleur. Comment se prononce la lettre *c* ?

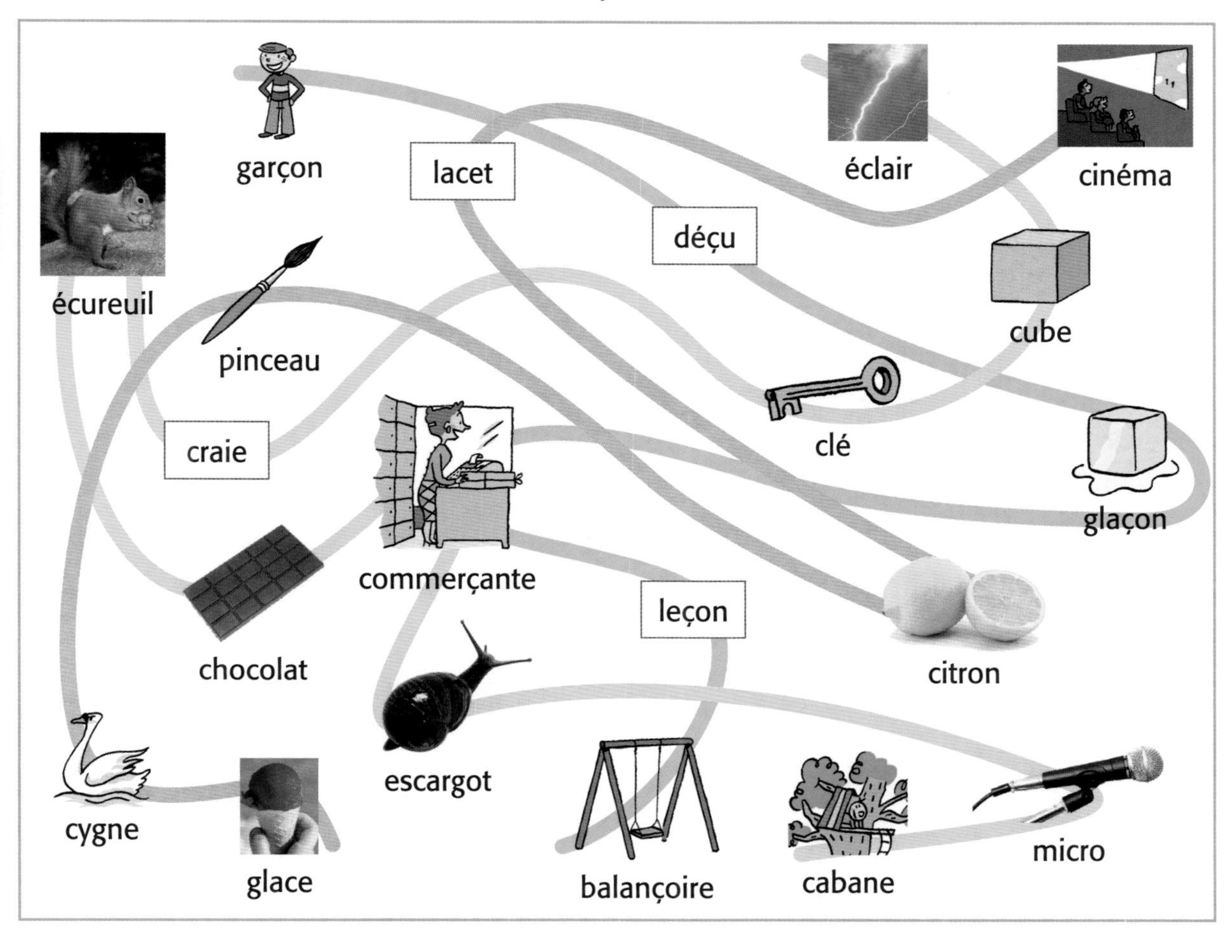

2. Classe les mots dans le tableau. Entoure la lettre qui suit le *c*.

Le son /k/ s'écrit *c* comme dans **éclair**	Le son /s/ s'écrit *c* comme au début de **cinéma**	Le son /s/ s'écrit *ç* comme dans **garçon**
...	...	...

Je révise les mots outils.

avec – beaucoup – combien – comme – comment – encore
parce que – est-ce que – voici

Je retiens

- La lettre **c** écrit le son /k/ devant **a, o, u, l, r.**
- La lettre **c** écrit le son /s/ devant **e, i, y.**
- La lettre **ç** écrit le son /s/ devant **a, o, u.**

Je retiens aussi : la piscine – la science – un ascenseur – une scie

10 Pour qui sont ces chaussures-ci ?

Scène 2

Entre une troisième cliente.

Vendeur : Mademoiselle ?

Cliente n° 3 : Bonjour, monsieur. Moi j'aimerais des chaussures à plusieurs vitesses. On tourne un bouton, et hop ! elles accélèrent.

Vendeur : Jamais entendu parler de ça. Vous croyez que ça existe ?

Cliente n° 3 : J'espère bien. J'en ai assez d'être obligée de me dépêcher et j'ai horreur de marcher vite. Si mes chaussures pouvaient le faire pour moi, ça m'arrangerait !

Vendeur : Malheureusement, je n'en ai pas en magasin. Peut-être devriez-vous voir un marchand de patins à roulettes…

Cliente n° 3 : Quelle bonne idée, des patins à roulettes ! J'y cours ! Enfin, façon de parler. J'y vais, en marchant, j'en ressors, en roulant. Épatant !

Quels sons écrit-on avec la lettre **s** ?

1. Suis les chemins de couleur. Comment se prononce la lettre *s* ?

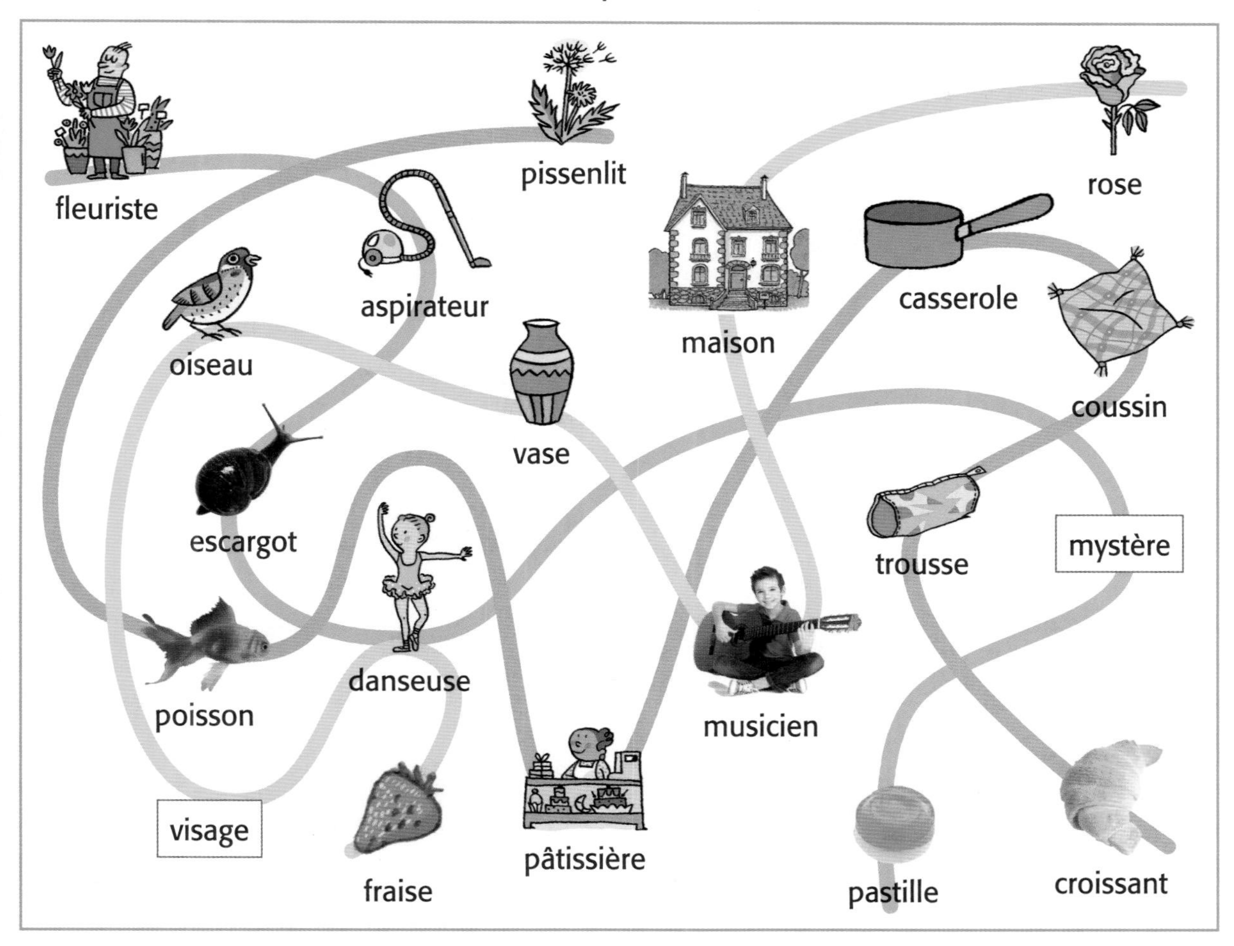

2. Classe les mots dans le tableau. Entoure les lettres qui viennent juste avant et juste après les *s*.

Le son /s/ s'écrit *s* comme dans **fleuriste**	Le son /s/ s'écrit *ss* comme dans **pissenlit**	Le son /z/ s'écrit *s* comme dans **rose**
...	...	...

Je révise les mots outils.

assez – aussi – dessous – dessus – ensemble
ensuite – lorsque – plusieurs – presque

Je retiens

À l'intérieur d'un mot, la lettre **s** écrit
– le son /s/ entre une voyelle et une consonne ou entre deux consonnes
– le son /z/ entre deux voyelles.
Les lettres **ss** écrivent le son /s/ entre deux voyelles.

LECTURE

10 Pour qui sont ces chaussures-ci ?

Scène 3

Entre une jeune fille très timide.

Vendeur : Et pour vous, mademoiselle, qu'est-ce que ce sera ?

Cliente n° 4 *(dans un souffle)* **:** Bonjour. Je cherche…

Vendeur : Je sais ce qu'il vous faut… Quelque chose dans ce genre-là…

Il lui montre une paire de mocassins. Elle les tâte.

Cliente n° 4 : C'est joli, mais… c'est trop dur…

Vendeur : Vous voudriez quelque chose de plus souple ?…
Comme ceci peut-être…

Cliente n° 4 : C'est que… c'est que… les doigts…

Elle écarte les doigts de la main.

Vendeur : Quoi, les doigts ? Vous ne voudriez quand même pas des chaussures avec des doigts de pieds séparés !

Cliente n° 4 : Séparés, oui, des doigts séparés.

Vendeur : Comme des gants alors ?

Cliente n° 4 : Oui, comme des gants.

Vendeur : Et ce serait plutôt pour les mains !

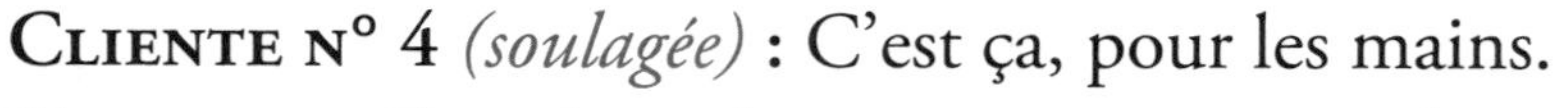

Cliente n° 4 *(soulagée)* **:** C'est ça, pour les mains.

Vendeur : C'est donc des gants que vous voulez ?

Cliente n° 4 *(radieuse)* **:** Oui, je voudrais des gants, s'il vous plait.

Vendeur : Il fallait le dire tout de suite. Les gants, c'est dans le magasin d'à côté.

Cliente n° 4 : Oh, excusez-moi.
Au revoir, monsieur ! Merci bien.

cahier 2 p. 54

L'adjectif qualificatif placé après le verbe **être**

- Où est placé l'adjectif qualificatif dans la liste ? dans les bulles ? Est-ce qu'il change ?

Je retiens

Quand l'adjectif qualificatif est placé après le verbe *être*,
il précise le sujet du verbe.
Il s'accorde avec le sujet du verbe *être*.

1 Je souligne l'adjectif qualificatif dans le groupe nominal.
Je l'écris après le verbe *être*.

1. une route dangereuse
   La route est ….
2. des vêtements déchirés
   Ces vêtements sont ….
3. des maisons neuves
   Les maisons sont ….
4. un verre plein
   Mon verre est ….
5. des clientes pressées
   Les clientes sont ….

2 J'entoure le sujet du verbe *être*, puis je choisis l'adjectif qualificatif qui convient.

1. prêt – prête
   Notre pièce sera … pour la fête de l'école.
2. rangé – rangée
   Mon costume est … dans un coffre.
3. rassuré – rassurée
   Nous connaissons bien nos rôles.
   La maitresse est …
4. content – contente
   Nous espérons que le public sera …

10 Pour qui sont ces chaussures-ci ?

Scène 4

Entre le cinquième client.

Client n° 5 : Je suis pressé. J'ai besoin d'une botte de chaussures.
Vendeur : Vous voulez dire deux bottes !
Client n° 5 : Non, une botte.
Vendeur : Pardon, mais les bottes, on les vend par deux.
Client n° 5 : Erreur. Ma femme vient d'acheter une botte de radis. On lui a donné une seule botte. Et moi, je veux une botte de chaussures.
Vendeur : Désolé, on ne détaille pas. C'est deux bottes par paire.
Client n° 5 : C'est pas pour mon père, c'est pour moi !
Vendeur : Et alors, vous avez deux pieds, il vous faut deux bottes.
Client n° 5 : Eh bien, puisque je n'arrive pas à me faire entendre, je vais aller au marché, là où ma femme a acheté sa botte de radis. Ça me fait penser qu'elle m'a dit de rapporter une paire de carottes, en plus de ma botte de chaussures.
Vendeur : C'est ça. Au revoir, monsieur !

cahier 2 p. 55

L'imparfait

Raconte, grand-père…

– À six ans, j'allais à l'école à vélo !
– Tu savais déjà faire du vélo ?
– Bien sûr que je savais !
– Tu avais de la chance !
– Je marchais aussi : je poussais mon vélo dans la grande côte.
– Et tes copains, ils faisaient du vélo ?
– Oui, ils allaient aussi à l'école à vélo. Nous partions tous ensemble le matin, car nous habitions très loin.
– Vous attendiez grand-mère ?
– Ta grand-mère ? Elle réussissait toujours à arriver avant nous.
– Vous aimiez aller à l'école tous ensemble ?
– Surtout quand le soleil brillait, oui.

1. Les enfants et le grand-père parlent-ils du présent ? du passé ? du futur ?
2. Classe les verbes conjugués dans ce tableau.
   Quand le sujet du verbe est un groupe nominal, remplace-le par un pronom.

je	tu	il, elle	nous	vous	ils, elles
…	…	…	…	…	…

3. Observe les terminaisons. Que remarques-tu ?
4. Compare les terminaisons du présent, du futur et de l'imparfait pour *nous*, *vous*, *ils*, *elles*. Qu'est-ce qui ne change pas ?

Je retiens

Conjuguer **à l'imparfait**, c'est facile.
Les terminaisons sont les mêmes pour tous les verbes.

je march(ais)	tu march(ais)	il march(ait)	elle march(ait)
nous march(ions)	vous march(iez)	ils march(aient)	elles march(aient)

1 Je remplace *je* par *elle*.

Souvent, je partais voir le port le dimanche. J'aimais regarder les bateaux, je rêvais de voyage. À la maison, je lisais des romans d'aventure.

2 Je remplace *je* par *ils*.

Au début, à vélo, je tombais souvent. Quand je pédalais, je n'allais pas vite. Alors je perdais l'équilibre.

10 Pour qui sont ces chaussures-ci ?

Scène 5

Vendeur *(Au premier client)* **:** À nous.
Alors, ce monsieur a-t-il trouvé chaussure à son pied ?
Client n° 1 : C'est-à-dire que… j'hésite. Avec les lacets, l'ennui, c'est qu'il faut lacer. Avec les boucles, il faut boucler.
Avec les crochets, il faut crocheter. Avec les velcros…
Vendeur : Écoutez, monsieur, réfléchissez encore et revenez demain.
Client n° 1 *(apercevant les chaussures du vendeur)* **:** Mais c'est celles-là que je veux. C'est exactement ça !
Vendeur : Celles-là ne sont pas à vendre. Elles sont à moi.
D'ailleurs c'est un vieux modèle.
Client n° 1 : Alors faites-moi une remise !
Vendeur : Oh, et puis zut ! Tenez, je vous les laisse à moitié prix, et décidez-vous rapidement. Je vais fermer. C'est l'heure.

Le vendeur retire ses chaussures. Le client s'en empare, paye et s'en va en faisant un petit signe de la main.

Vendeur : Quel métier ! J'en ai plein mes bottes… Heureusement, c'est l'heure d'enfiler mes pantoufles. C'est bien là-dedans qu'on est le mieux !

cahier 2 p. 56

Les contraires

1

2

- Décris ces deux images : les personnes, les objets, les actions.
  Quels sont les mots communs à tes deux descriptions ?
  Quels mots permettent de faire la différence entre les deux situations ?

Je retiens

Les **contraires** sont des mots qui ont un sens opposé.

1 Je recopie les verbes contraires deux par deux.

pousser	lâcher
ouvrir	reculer
avancer	tirer
prendre	entrer
sortir	fermer

2 Je recopie les adjectifs contraires deux par deux.

clair	présent
ouvert	triste
absent	sombre
gai	faux
exact	fermé

3 Je recopie les noms contraires deux par deux.

début	faiblesse
force	entrée
descente	permission
sortie	fin
interdiction	montée

4 Je recopie le mot en bleu et son contraire.

1. bâtir avancer – hauteur – détruire
2. rire fâché – malheur – pleurer
3. allumer nuit – éteindre – sombre
4. frisé brun – couper – raide
5. dur cogner – mou – crème

5 Je remplace chaque mot en bleu par son contraire.

1. Vous débrancherez les ordinateurs.
2. Ce joueur est très maladroit.
3. Tous les matins, Marie attache ses cheveux. Aujourd'hui, elle a mis son pull à l'envers.
4. La maison de Léna est près du centre-ville. Sa rue est très bruyante.

6 J'écris le contraire de chaque mot. Puis je l'utilise dans une phrase.

commencer – accélérer
prudent – poli – lourd
tôt – sur – avant

10 Accorder l'adjectif qualificatif (2)

- **L'adjectif qualificatif s'accorde avec le nom qu'il précise**
  - au masculin singulier – au masculin pluriel
  - au féminin singulier – au féminin pluriel
- Quand l'adjectif est placé après le verbe *être*, il s'accorde avec le sujet du verbe.

Pour bien contrôler la chaine des accords, je me demande :
– quel nom l'adjectif précise-t-il ?
– est-il masculin ou féminin ? au singulier ou au pluriel ?

un chemin○ étroit(?)
L'adjectif précise *un chemin*.
Un chemin, c'est le masculin singulier.
J'écris l'adjectif au masculin singulier.
un chemin○ étroit○

une route○ étroit(?)
L'adjectif précise le nom *route*.
Une route c'est le féminin singulier.
J'écris le *e* du féminin.
une route○ étroit(e)

des chemin(s) étroit(?)
L'adjectif précise *des chemins*.
Des chemins, c'est le masculin pluriel.
J'écris le *s* du pluriel.
des chemin(s) étroit(s)

des route(s) étroit(?)
L'adjectif précise *des routes*.
Des routes, c'est le féminin pluriel.
J'écris le *e* du féminin.
et le *s* du pluriel.
des route(s) étroit(es)

1 Devant chaque groupe nominal, j'écris s'il est :
masculin (M) ou féminin (F), au singulier (S) ou au pluriel (P).
Puis je choisis la forme de l'adjectif qualificatif qui convient.

… des chaussures … neuf – neufs – neuve – neuves
… des vêtements … usé – usée – usés – usées
… une veste … chaud – chauds – chaude – chaudes
… un chapeau … rond – ronde – ronds – rondes

2 J'accorde les adjectifs.

1. une porte ouvert… – un train rapide… – ma chanson préféré…
2. Les escaliers sont glissant…. – Les portes sont ouvert….

3 Je recopie les phrases. Je mets les noms en bleu au pluriel.
Je fais attention à tout ce qui change.

Sous le château, il y a un passage secret sombre, froid et glissant.
L'entrée est invisible. Elle est cachée par les buissons.

cahier 2 p. 60

J'apprends à décrire un lieu

Charlie Bucket promena ses regards sur la salle gigantesque.
On eût dit une cuisine de sorcière !
Dans tous les coins, il y avait des marmites en métal noir,
fumant et bouillonnant sur de grands fourneaux,
des bouilloires sifflantes et des poêles à frire ronronnantes,
d'étranges machines de fer qui crachotaient et cliquetaient,
et des tuyaux qui couraient le long du plafond
et des murs, le tout enveloppé de fumée, de vapeurs,
de riches et délicieux parfums.

Roald DAHL, *Charlie et la Chocolaterie*, traduit par Elisabeth Gaspar,

1. **Quelle est la première impression de Charlie quand il entre dans la cuisine ?**
   – Que voit-il ? Qu'entend-il ? Que sent-il ?
   – Sur une feuille, dessine la cuisine comme tu l'imagines.

2. **Tu arrives dans cet endroit.**
   – Que vois-tu ?
   – Qu'entends-tu ?
   – Quelles odeurs respires-tu ?
   – Comment te sens-tu ?

   Partage tes idées avec tes camarades.

Quand je suis dans un lieu, tous mes sens sont en activité.
Pour bien faire connaitre ce lieu à mon lecteur, j'écris :
– ce que je vois : les objets (je les situe dans l'espace), les couleurs…
– ce que j'entends : les bruits
– ce que je sens : les odeurs.
Je partage aussi mes sentiments, mes émotions.

LECTURE

11 Les douze géants (1)

adapté d'un conte traditionnel de Slovaquie

Gérard Moncomble, *7 histoires du soir racontées par la famille Pluche, Il était une fois un petit tome orange.* Éditions Hatier Jeunesse.

Dans la famille Pluche, il y a,

Chacun à son tour raconte une histoire.

Aujourd'hui, c'est

Il était une fois, à l'orée de la forêt, une maisonnette au toit de chaume. Une veuve y habitait avec sa fille et sa belle-fille. Elle adorait l'une et détestait l'autre. La veuve avait ses raisons : Anastasia, sa fille, était un laideron alors que sa belle-fille, Mariya, rayonnait de beauté. Elle était aimable, généreuse, serviable ; la bonté même. Tout cela irritait fort la mère, dont la fille était paresseuse, cruelle, et colérique.

Pardon, Nina ? Tu me demandes à laquelle tu ressembles ?
Devine, ma tourterelle.

- **une veuve** : une femme dont le mari est mort.
- **un laideron** : une fille très laide.
- **serviable** : toujours prête à rendre service.
- **cela irritait la mère** : cela l'énervait, la mettait en colère.

1. Qui sont les trois personnages de cette histoire ?
2. Redis avec tes mots ce qui énervait la mère.
3. Qui parle dans les deux lignes en italique à la fin du texte ? Qui est Nina ?
4. À ton avis, à qui ressemble Nina ?

Quels sons écrit-on avec la lettre g ?

1. Suis les chemins de couleur. Comment se prononce la lettre *g* ?

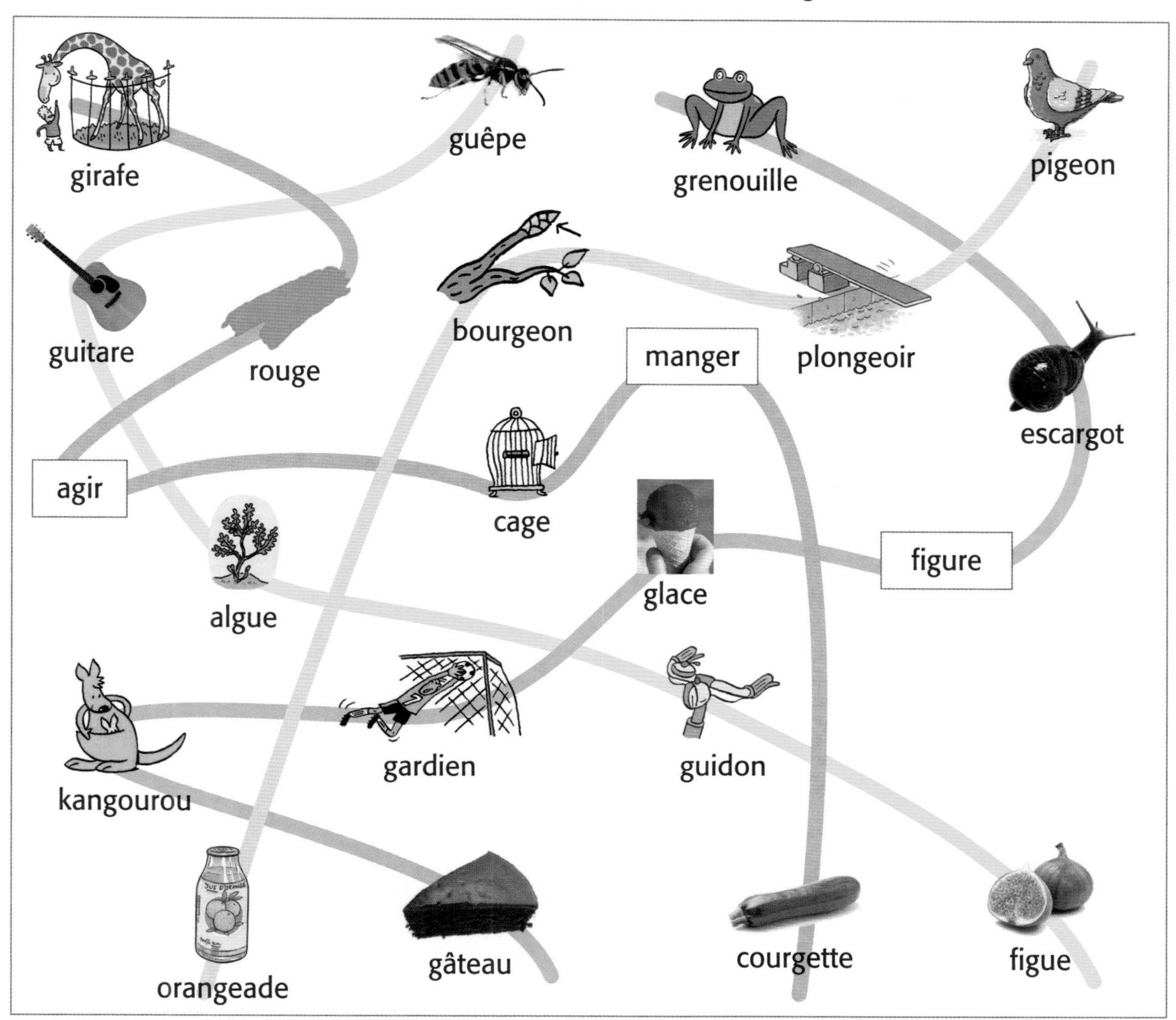

2. Classe les mots dans le tableau.
Entoure les lettres qui écrivent les sons.

Le son /ʒ/ s'écrit *g* comme au début de **girafe**	Le son /ʒ/ s'écrit *ge* comme dans **pigeon**	Le son /g/ s'écrit *g* comme au début de **grenouille**	Le son /g/ s'écrit *gu* comme au début de **guêpe**
...	...	...	...

Je retiens

- La lettre **g** écrit le son /ʒ/ devant **e**, **i**.
- La lettre **g** écrit le son /g/ devant **a**, **o**, **u** , **l** , **r**.
- Les lettres **ge** écrivent le son /ʒ/ devant **a**, **o**, **u**.
- Les lettres **gu** écrivent le son /g/ devant **e**, **i**.

Je retiens aussi : long – longtemps – un étang – le sang

11 Les douze géants (2)

Mariya avait la tâche dure : elle devait s'occuper du ménage de la maison, filer la laine, tisser, coudre, préparer les repas, allumer le feu. Les deux autres passaient leur temps à cancaner. Et surtout, elles parlaient de Mariya, qui embellissait de jour en jour. La jalousie leur dévorait le cœur. Si bien qu'un jour, la mère et la fille décidèrent d'en finir avec elle. *Oui, vous avez bien entendu, les enfants.* Mariya devait disparaitre.
C'était l'hiver. La neige couvrait le pays de sa cape laiteuse. Le froid était vif, un vent glacé soufflait en bourrasque. Pourtant, ce jour-là, Anastasia lance à sa sœur :
– Cours dans la forêt et ramène-moi un bouquet de violettes. J'aime leur parfum. J'en garnirai ma ceinture. Va !
Mariya arrondit les yeux.
– Mais, petite sœur, jamais je ne… commence-t-elle.
– Va, te dis-je ! Et ne reviens qu'avec mes fleurs.

1. Anastasia et sa mère n'aiment pas Mariya. Qu'est-ce qui le montre ?
2. Comment vois-tu qu'Anastasia est cruelle ?
3. Que veulent Anastasia et sa mère ? Pourquoi Anastasia envoie-t-elle Mariya dans la forêt ?
4. Si Mariya pouvait terminer sa phrase, que dirait-elle ?
   – Mais, petite sœur, jamais je ne…

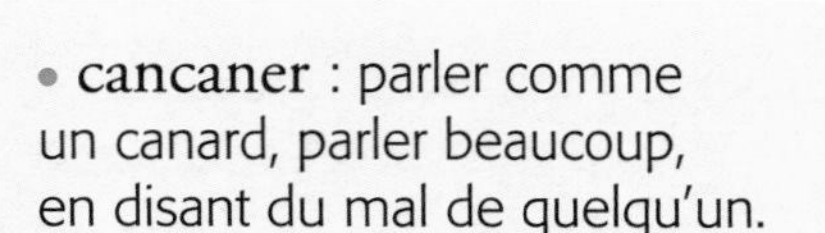

- **cancaner** : parler comme un canard, parler beaucoup, en disant du mal de quelqu'un.
- **une cape** : grand vêtement qui recouvre presque tout le corps. La neige recouvre le sol comme un grand vêtement.
- **laiteuse** : blanche comme le lait.

cahier 2 p. 68

J'étudie la lettre h

1. Je vois h au début du mot. C'est une lettre muette.

– Quelquefois on ne fait pas la liaison.

la haie

le hangar

un homard

trois hiboux

un haricot	la harpe	le hamster	un héros	les hérissons

– Quelquefois on fait la liaison.

de l'herbe

un petit hippopotame

deux hirondelles

un harmonica

des hélicoptères	une histoire	des habits	l'hiver	un hôpital

2. Je vois h dans le mot. C'est une lettre muette.

un cahier	du thé	le théâtre	un rhume	le bonheur	un thon

3. Je vois h dans le mot. Il sert à écrire un son.

ch une chaise – la chambre – une branche – un chien – un cheval – dimanche
cacher – déchirer – empêcher – chuchoter – rechercher – acheter

ph une photo – un phare – le téléphone – la pharmacie
l'éléphant – un phoque – un dauphin
l'alphabet – une phrase – un paragraphe – une strophe

J'apprends à écrire les mots outils.

hier – aujourd'hui – dehors – chaque – chez

11 Les douze géants (3)

Mariya s'en va donc. Elle trotte pieds nus dans ses sabots, un châle sur les épaules. Derrière la fenêtre, la marâtre et sa fille la voient s'évanouir dans la brume du soir. Elles gloussent de plaisir.

Mariya erre longtemps dans la forêt. Bien sûr, elle ne trouve aucune violette. Des larmes amères sillonnent ses joues. Soudain, une lueur scintille au flanc de la montagne. « Peut-être un campement de chasseurs », songe-t-elle. De quoi échapper au froid qui l'étreint. Elle y court.

Il ne s'agit pas de chasseurs. Ni même d'hommes, en vérité. Des géants, à coup sûr, car ils sont fort grands. Bien qu'assis autour du brasier, ils touchent de leur tête la cime des arbres. Ce sont les douze mois de l'année. Mariya s'approche, d'un pas craintif.

– Puis-je me chauffer à votre feu ? demande la jeune fille.

- **un châle** : pièce d'étoffe que les femmes mettent sur leurs épaules.
- **la marâtre** : belle-mère méchante.
- **elles gloussent** : elles poussent des petits cris brefs, comme une poule ou un dindon.
- **le froid l'étreint** : le froid l'enveloppe et pénètre partout dans son corps. Mariya a très froid partout dans son corps.

1. Anastasia et sa mère pensent-elles que Mariya va mourir ?
2. Pourquoi Mariya a-t-elle très froid ?
3. Pourquoi pleure-t-elle ?
4. Les géants sont-ils plus grands que les arbres ?
5. À ton avis, Mariya sait-elle que les géants sont les douze mois de l'année ?

Où ? Quand ? Comment ? Pourquoi ?

1. Quelles questions posent les astronautes ? Comment le commandant répond-il ?
2. Que penses-tu de la dernière remarque des astronautes ?

Je retiens

Quand je parle, quand j'écris, j'apporte des précisions dans mes phrases.
J'explique **où**, **quand**, **comment**, **pourquoi**.
Mon interlocuteur ou mon lecteur comprend mieux ce que je veux dire.

1 Je souligne la partie de la phrase qui répond à la question.

- Où ?
Dans le placard de la cuisine, il y a toujours une boite de biscuits.
- Quand ?
Avant la sortie, nous avons rangé nos bureaux.
- Comment ?
Samuel et Léna observent les oiseaux avec des jumelles.
- Pourquoi ?
Le clown fait des grimaces pour faire rire les petits.

2 Quand ? je souligne en bleu.
Où ? je souligne en vert.

Hier, au milieu de l'après-midi, un violent orage a éclaté au-dessus de la ville. Les passants se sont réfugiés dans les magasins et les entrées d'immeubles. La pluie s'est arrêtée à la tombée de la nuit.

11 Les douze géants (4)

Janvier, le plus vieux d'entre eux, hoche la tête.
– Ce n'est guère un temps de promenade, ma jolie.
Que cherches-tu donc ?
– Des violettes, seigneur. Anastasia, ma sœur, l'exige et je dois lui obéir.
À l'entendre, les douze mois sursautent. Cette Anastasia est d'une cruauté sans nom ! Envoyer sa sœur dans la forêt par ce froid ! À la nuit tombée !
Janvier tend à Mars son grand bâton.
– Fais, mon frère, que le printemps surgisse.
Mars s'empare du bâton, le jette dans le feu. Des flammes jaillissent, si hautes qu'elles illuminent le ciel comme s'il faisait jour. La neige alentour disparait, le sol se couvre d'herbe tendre. Sur les arbres surgissent mille bourgeons, les oiseaux se mettent à gazouiller. Enfin, un parfum puissant envahit la clairière. Au pied des buissons, sous les arbres, partout poussent des violettes.
– Cueilles-en quelques-unes, dit Mars.
Folle de joie, Mariya fait un gros bouquet, remercie les douze mois et retourne chez elle.
On ne l'y attendait pas.

- **il hoche la tête** : il secoue la tête pour faire comprendre ce qu'il pense.
- **que le printemps surgisse** : que le printemps apparaisse.
- **alentour** : tout autour.
- **un bourgeon** : petite pousse qui donnera naissance à une feuille ou à une fleur.

1. Janvier est le plus vieux des géants. Pourquoi ?
2. Pourquoi Janvier passe-t-il son bâton à Mars plutôt qu'à un autre mois de l'année ?
3. Que se passe-t-il au printemps ?
4. Mars dit « Cueilles-en quelques-unes » et non pas « Cueille-les toutes ». À ton avis, pourquoi ?
5. Explique la dernière phrase :
   On ne l'y attendait pas.

L'imparfait des verbes **être** et **avoir**

1. Relève les formes conjuguées du verbe *être* et du verbe *avoir*.
2. À l'imparfait, le verbe *être* et le verbe *avoir* se conjuguent-ils comme les autres verbes ?

être	avoir
...	...

Je retiens

L'imparfait du verbe être	
j'étais	nous étions
tu étais	vous étiez
il était	ils étaient
elle était	elles étaient

L'imparfait du verbe avoir	
j'avais	nous avions
tu avais	vous aviez
il avait	ils avaient
elle avait	elles avaient

LECTURE

11 Les douze géants (5)

Anastasia accroche les violettes à sa ceinture, sans un mot.
La mère exige que Mariya nettoie ses sabots enneigés. Et c'est tout.
Le lendemain, Anastasia a envie de fraises. Elle tend un panier à Mariya et ordonne :
– Rapporte-moi des fraises. Je les veux rouges, plus rouges encore que la crête d'un coq.
– Petite sœur, supplie Mariya, en cette saison, il n'y…
– Cesse de discutailler ! Va, et ne reviens que le panier rempli, entends-tu ?
Mariya sort dans le paysage givré. Déjà, le soir tombe.
Elle se souvient d'une clairière pleine de fraises des bois, l'été, du côté des trois saules. Elle y court, mais, sous la neige, il n'y a que du foin sec.
La pénombre gagne la forêt. Elle chemine encore, lorsqu'elle voit de nouveau une lueur sur la montagne.
Ce sont bien les douze géants. Toujours assis autour de leur feu.

- **la crête** : le morceau de chair rouge sur la tête du coq.
- **discutailler** : perdre son temps à discuter de choses sans importance.
- **givré** : recouvert d'une couche de glace.

1. **Comment vois-tu qu'Anastasia est cruelle ?**
2. **Anastasia a-t-elle vraiment envie de fraises ?**
3. **Si Mariya pouvait terminer sa phrase, que dirait-elle ?**
   Petite sœur, en cette saison, il n'y…
4. **Pourquoi supplie-t-elle sa sœur ? Penses-tu qu'elle discutaille ?**
5. **Mariya va-t-elle directement voir les douze géants ?**

cahier 2 p. 72

Lire un article de dictionnaire (2)

supplier verbe
Supplier, c'est demander en insistant beaucoup. *Je t'en supplie, prête-moi ta corde à sauter.*
■ Cherche aussi **prier.**

joyeux, joyeuse adjectif
Ce matin, Lola rit tout le temps, elle est très joyeuse, elle est très contente et heureuse.
■ Tu peux dire aussi **gai.**
■ Le contraire de joyeux, c'est **triste.**

saison nom féminin
Une saison, c'est une partie de l'année pendant laquelle il fait à peu près le même temps. *En Europe, il y a quatre saisons qui durent chacune trois mois : le printemps, l'été, l'automne et l'hiver.*

Le Robert Benjamin, 2014

Observe ces articles de dictionnaire.

1. Quels sont les mots définis ? Comment sont-ils présentés ?
2. Quelles informations trouves-tu après ces mots ?
3. Quelle est la définition de chaque mot ?
4. À quoi sert la phrase en italique ?
5. Quelles informations trouves-tu après les carrés verts ?

Je retiens

Dans un article de dictionnaire, on trouve toujours :
– le mot défini
– sa nature (nom, verbe, adjectif…)
– sa définition
– un exemple.
On peut aussi trouver d'autres informations : son synonyme, son contraire…

1 Place les mots dans leur définition.

paresseux, paresseuse
sursauter – violette

1. Une …, c'est une petite fleur parfumée de couleur violette qui fleurit au printemps.
2. …, c'est se redresser d'un seul coup quand on est surpris.
3. Une personne …, c'est une personne qui aime ne rien faire.

2 Donne oralement plusieurs phrases exemples pour ces définitions.

1. **promenade**
Une promenade, c'est une sortie à pied ou en vélo, sans se presser, pour se distraire.
2. **maisonnette**
Une maisonnette est une toute petite maison.
3. **brasier**
Un brasier est un feu qui brule très fort.

11 Les noms et les adjectifs qui se terminent par **s**, **x**, **z**

1. Je classe les groupes nominaux dans le tableau.

singulier	pluriel
…	…

le riz – les riz
la souris – les souris
un bras – deux bras
un pas – quelques pas
un bus – des bus
mon choix – mes choix
un débris – des débris
une noix – des noix
un ours – des ours
un nez – des nez
un os – des os
un abus – des abus
un avis – plusieurs avis
un gaz – des gaz
l'index – les index
le dos – les dos
un rébus – des rébus
le prix – les prix
l'univers – les univers

Je retiens

Quand un nom se termine au singulier par *s*, *x* ou *z*, il ne change pas au pluriel. Il est **invariable**.

2. J'écris M pour masculin, F pour féminin, S pour singulier et P pour pluriel.
Je me demande : Qu'est-ce qui change ? Qu'est-ce qui ne change pas ?

un chant joyeux	(MS)	des chants joyeux	(MP)
une chanson joyeuse	(FS)	des chansons joyeuses	(FP)
un faux pas	(MS)	des faux pas	(…)
une fausse nouvelle	(…)	des fausses nouvelles	(…)
un nuage gris	(…)	des nuages gris	(…)
une pierre grise	(…)	des pierres grises	(…)
un dessin précis	(…)	des dessins précis	(…)
une explication précise	(…)	des explications précises	(…)

Je retiens

Quand un adjectif se termine au masculin singulier par *s* ou *x*, **il ne change pas au masculin pluriel.**

* Je mets le groupe nominal au pluriel.

1. un chien courageux – des …
2. un ours dangereux – des …
3. un tissu épais – des …
4. un trésor précieux – des …
5. un poète français – des …
6. un fruit frais – des …
7. un choix sérieux – des …
8. un temps gris – des …
9. un bus silencieux – des …
10. un gros nez rouge – des …

cahier 2 p. 76

J'apprends à écrire une lettre

Isis va avoir une correspondante. Elle lui écrit.

Beaulieu, le 24 mai — l'endroit, la date

Chère Patricia, — une formule pour commencer

Je m'appelle Isis. J'ai 8 ans. J'ai les cheveux noirs et bouclés.
Et toi, comment sont tes cheveux ?
J'ai une grande sœur et un petit frère. Ma grande sœur
n'aime pas jouer avec moi. Mais mon petit frère
est très drôle. Il fait toujours des bêtises.
Et toi, as-tu des frères et des sœurs ?
À la maison, nous avons aussi trois petits chats :
Rou, Chou et Fou. Ils sont trop mignons.
As-tu aussi des animaux chez toi ?
J'habite dans un appartement au troisième étage.
Au bas de notre immeuble, il y a un jardin.
Je vais souvent y jouer avec Loumia,
ma meilleure copine.
Je suis impatiente de te connaitre. Écris-moi très vite.

— le texte de la lettre

À bientôt. — une formule pour dire au revoir

Ta future amie, Isis — la signature

1. **Où cette lettre a-t-elle été écrite ? Quand a-t-elle été écrite ?**
2. **À qui la lettre est-elle adressée ?**
3. **Que raconte l'auteure de la lettre ? Quelles questions pose-t-elle ? Pourquoi pose-t-elle ces questions ?**
4. **Comment se termine la lettre ?**
5. **Comment l'auteure signe-t-elle ?**

Quand j'écris une lettre à un ami ou quelqu'un de ma famille :
- j'indique en haut et à droite l'**endroit d'où j'écris** et la **date**
- **je nomme la personne à qui j'écris** avec **un petit mot** pour elle : Chère Patricia, Bonjour Léo, Cher grand-père…
- j'écris tout ce que j'ai envie de lui dire
- **je termine avec une formule** : Au revoir, À bientôt, Grosses bises…
- **je signe.**

12 Les douze géants (6)

À la vue de Mariya, Janvier grogne :
– Te voilà encore ! Que cherches-tu, cette fois ?
– Pardonne-moi, seigneur. Aujourd'hui, ma sœur voudrait des fraises…
Le vieillard soupire.
– Assurément, les humains sont d'une grande méchanceté.
Juin, mon frère, prends donc mon bâton.
Juin jette le bâton dans le feu, qui grandit soudain, jusqu'à effleurer les nuages courant dans le ciel noir. La neige fond, montrant une herbe drue, claire. Une multitude de fleurs blanches y foisonnent. Bientôt elles se changent en petits fruits rouges. L'air embaume. Un coq de bruyère chante, d'un cri strident, joyeux.
– Emplis ton panier, dit Juin.
Mariya s'empresse d'obéir, remercie les douze mois et rentre chez elle.

Anastasia et sa mère sont sidérées en la voyant. L'hiver est-il devenu fou ? Se peut-il qu'on trouve des fraises sous la neige ? Cependant mère et fille vident goulument le panier. Tout en mangeant, elles réfléchissent de nouveau à la manière de se débarrasser de Mariya.

- **effleurer** : toucher très légèrement.
- **une herbe drue** : une herbe épaisse et serrée.
- **les fleurs foisonnent** : elles poussent partout en grand nombre.
- **sidérées** : très étonnées.
- **goulument** : elles se jettent sur le panier et avalent les fraises à toute vitesse.

1. À ton avis, Janvier est-il fâché contre Mariya ?
2. Pourquoi Janvier passe-t-il son bâton à Juin plutôt qu'à un autre mois de l'année ? Quelle saison commence au mois de juin ?
3. Juin dit : « Emplis ton panier ». À ton avis, pourquoi ?
4. Anastasia et sa mère sont-elles contentes du retour de Mariya ?

cahier 2 p. 80

Quels sons écrit-on avec la lettre **i** ? (1)

/i/ i  une ile	un souvenir – la vie – le prix – une histoire – la nuit – la suite difficile – triste – vivant – immense – tranquille – actif – inutile imiter – arriver – quitter – suivre – conduire – obéir – remplir
/j/ i 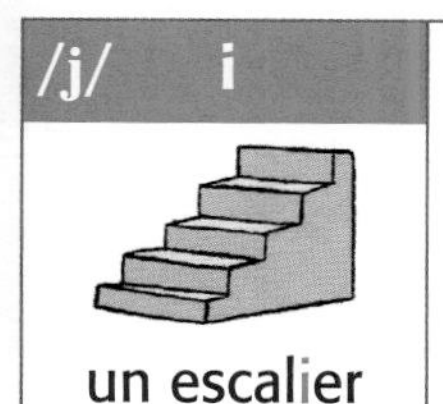 un escalier	une pièce – la question – le mariage – le gardien – le papier premier – ancien – entier – souriant – sérieux – vieux étudier – remercier – lier – stationner – oublier – crier
/j/ il  le soleil	le travail – un conseil – un appareil – un fauteuil – un œil pareil
/j/ ill 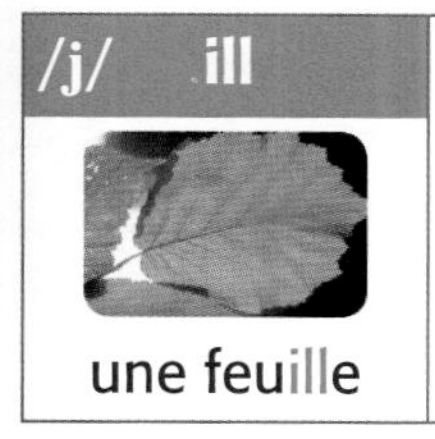 une feuille	l'oreille – le feuillage – la bataille – un caillou – une grenouille meilleur – bouillant – caillouteux – batailleur travailler – tailler – réveiller – conseiller – surveiller – mouiller
/ɛ/ ai  un éclair	la semaine – une affaire – la paix – un trait – un palais vrai – mauvais – faible – clair – frais – parfait – nécessaire aider – faire – plaire – éclairer – baisser – trainer – souhaiter
/ɛ/ ei  une reine	la peine – un peigne – un beignet – un seigneur pleine peigner – freiner

- Je lis le plus vite possible.

1. Un épouvantail de paille avec des espadrilles qui brillent au soleil, quelle merveille !
2. J'aime les beignets tièdes avec du lait frais. Mais je préfèrerais les beignets frais avec du lait tiède.
3. Aujourd'hui, samedi, à midi, Jiminy étudie la vie de l'ibis rouge qui niche en colonies dans les iles d'Asie.

12 Les douze géants (7)

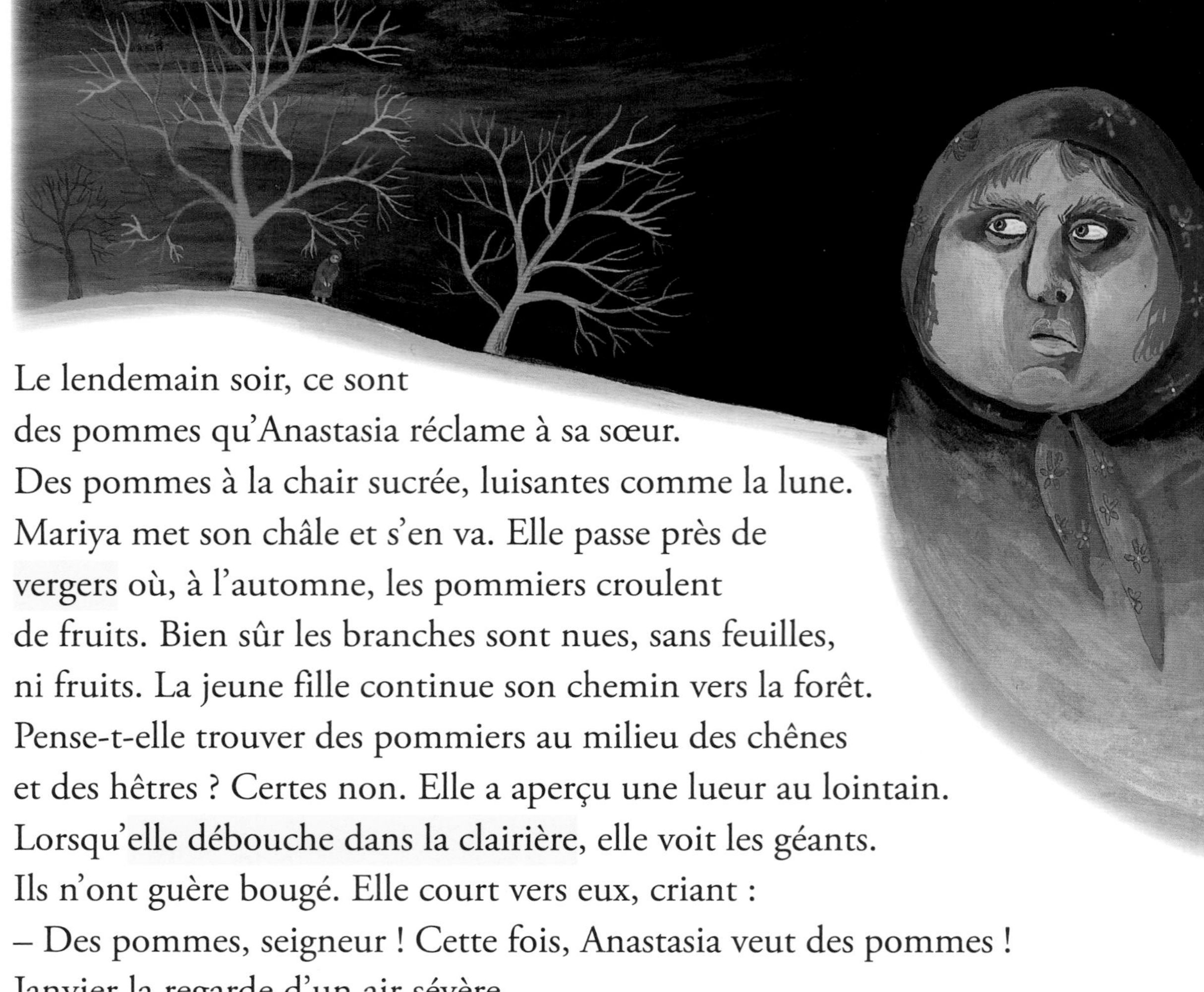

Le lendemain soir, ce sont
des pommes qu'Anastasia réclame à sa sœur.
Des pommes à la chair sucrée, luisantes comme la lune.
Mariya met son châle et s'en va. Elle passe près de
vergers où, à l'automne, les pommiers croulent
de fruits. Bien sûr les branches sont nues, sans feuilles,
ni fruits. La jeune fille continue son chemin vers la forêt.
Pense-t-elle trouver des pommiers au milieu des chênes
et des hêtres ? Certes non. Elle a aperçu une lueur au lointain.
Lorsqu'elle débouche dans la clairière, elle voit les géants.
Ils n'ont guère bougé. Elle court vers eux, criant :
– Des pommes, seigneur ! Cette fois, Anastasia veut des pommes !
Janvier la regarde d'un air sévère.
– J'aimerais que ce manège cesse, ma fille. Tu troubles notre méditation.
Il lance son bâton à son voisin.
– Octobre, mon frère, fais ce qu'il faut. Mais ce sera la dernière fois.

- **un verger** : terrain planté d'arbres fruitiers.
- **elle débouche dans la clairière** : elle arrive dans la clairière.
- **le manège** : une façon de revenir pour demander quelque chose, comme un manège qui tourne.
- **la méditation** : réflexion silencieuse.

1. Combien de jours se sont passés depuis le début de l'histoire ?
2. Mariya va-t-elle directement voir les douze géants ?
3. À ton avis, Janvier est-il fâché contre Mariya ?
4. Pourquoi Janvier passe-t-il son bâton à Octobre plutôt qu'à un autre mois de l'année ?
5. Pourquoi est-ce la dernière fois ?

Quels sons écrit-on avec la lettre **i** ? (2)

/ɛ̃/ in	
 un pinceau	un instant – le printemps – un voisin – l'internet – l'index mince – fin – malin – inconnu – indépendant – injuste interroger – inspirer – interdire – indiquer – pincer – étinceler

/ɛ̃/ im	
imprudent	un timbre – un imperméable – l'imparfait – un chimpanzé simple – important – imprévu imprimer – grimper – imposer

/ɛ̃/ ein	
 la peinture	une ceinture – un frein – un peintre – une empreinte plein – éteint éteindre – atteindre – peindre

/ɛ̃/ ain	
 la main	le grain – le terrain – le pain – un copain – le vainqueur certain – prochain – humain – vilain craindre – plaindre – vaincre

/wa/ oi	
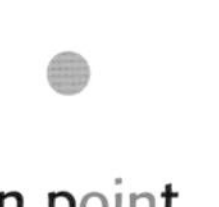 un poisson	la soif – la mémoire – le devoir – la voix – une fois – un mois noir – droit – étroit – froid – soigneux – éloigné vouloir – avoir – voir – boire – choisir – soigner – éloigner

/wɛ̃/ oin	
un point	un coin – le soin – un témoin – une pointe – le besoin pointu coincer – joindre

• **Je lis le plus vite possible.**

1. Dans un coin du jardin, Romain, un pinceau à la main, peint un chien.
2. Éloi, vois-tu les trois oies du roi François ?
   Je crois que je vois les trois oies du roi.
3. Cinq lions vont boire le soir sans lampions dans le noir.
4. Le moineau a besoin de vingt pois et trois noix pour soigner sa voix.

12 Les douze géants (8)

Octobre met le bâton au milieu des flammes, qui crépitent bruyamment, vives et hautes. Une fois de plus la neige s'évanouit, les arbres se couvrent de feuilles rouges et craquantes. Quelques fougères se dressent majestueusement. Çà et là des pâquerettes parsèment le sol moussu.
Mariya pousse un cri. Au-dessus d'elle, un pommier tend ses branches chargées de fruits ronds, magnifiques. Octobre secoue le tronc et une pomme tombe, puis une seconde.
– Prends ces deux pommes et file, dit-il. Adieu.
La jeune fille ramasse les fruits, remercie les douze mois et repart.
À la vue de sa sœur brandissant les deux pommes, Anastasia croit devenir folle. Non seulement cette pimbêche revient saine et sauve, mais elle réussit des miracles.
Anastasia s'empare des pommes, en donne une à sa mère et croque l'autre. Elles sont juteuses, tendres, parfaites.
– Pourquoi en as-tu ramené si peu, idiote ? grince Anastasia. Où est ton fichu pommier ?

- **les flammes crépitent** : elles font un bruit sec.
- **des pâquerettes parsèment le sol** : on voit quelques pâquerettes çà et là sur le sol.
- **file** : pars vite.
- **brandir** : tenir à bout de bras, pour bien montrer.
- **une pimbêche** : fille contente d'elle-même, désagréable, qui fait des manières.
- **Anastasia grince** : elle parle de façon désagréable, comme une porte qui grince.

1. Quelle saison Octobre fait-il apparaitre ?
2. Pourquoi Octobre ne donne-t-il que deux pommes ?
3. Quel mot montre que c'est bien la dernière fois que Mariya voit les géants ?
4. Au début de l'histoire, le narrateur dit qu'Anastasia est colérique. Comment le vois-tu ici ?
5. Pourquoi Anastasia demande-t-elle où est le pommier ?

cahier 2 p. 84

Les adverbes

- Dans chaque phrase, il y a un mot masqué. Où est-il placé ?
Retrouve ce mot qui permet de bien comprendre le sens de la phrase.

vite – lentement – souvent – bien – ensemble
beaucoup – régulièrement – soigneusement

Tu as travaillé .
As-tu bien relu ton exercice ?
Vous allez travailler par groupes de trois.
Je suis contente de Léo. Il travaille .
Mon père est en voyage. Il travaille loin de chez nous.
Le peintre qui restaure un tableau travaille .
Pour gagner les compétitions, les grands sportifs travaillent et .
Pour bien jouer ce morceau, vous devez d'abord le travailler .

Je retiens

Pour préciser le sens du verbe, je peux utiliser **un adverbe**.

***** Je souligne le verbe.
J'entoure l'adverbe qui le précise.

1. Agathe aime beaucoup les livres d'aventures.
2. Grâce aux coussinets de ses pattes, le chat marche silencieusement.
3. Un jeune enfant grandit régulièrement de 5 ou 6 centimètres par an.
4. Quand tu cours vite, ton cœur bat vite.
5. Je me lave toujours les mains avant le repas.

12 Les douze géants (9)

Mariya explique à sa sœur comment retrouver l'arbre prodigieux.
Elle parle des douze géants, mais Anastasia n'écoute déjà plus.
Deux paniers à la main, elle se précipite vers la forêt.
Il y a une grosse récolte à faire. Elle parvient dans la clairière
où brule le brasier. S'avançant jusqu'au pommier sans jeter un regard
aux géants, elle secoue l'arbre.
– Qui t'a permis de cueillir ces pommes ? dit Janvier d'une voix irritée.
– Occupe-toi de ce qui te regarde, vieux grincheux ! hurle Anastasia.
Ah, elle n'aurait pas dû, non. Janvier jette son bâton dans le brasier,
qui s'éteint aussitôt. Une tempête se lève, si furieuse qu'elle plonge
la forêt dans un tourbillon de neige et de vent.
Anastasia n'a jamais retrouvé son chemin.

- **prodigieux** : extraordinaire, miraculeux.
- **grincheux** : jamais content ; de mauvaise humeur.

1. D'après toi, quelle explication Mariya donne-t-elle à sa sœur ?
2. Rappelle-toi ce que tu sais des géants.
   Anastasia les voit-elle ?
   Pourquoi ne fait-elle pas attention à eux ?
3. Anastasia est-elle respectueuse ?
4. Cette fois-ci, Janvier ne tend pas son bâton à un autre mois. Explique pourquoi.
5. Comment comprends-tu la dernière phrase ?

cahier 2 p. 85

Le passé composé

Mariya a marché longtemps dans la forêt. Sa sœur a exigé un bouquet de violettes.	Mariya a eu très froid dans la neige. Soudain elle a vu, au loin, la lueur d'un grand feu.	Elle a raconté son histoire aux géants. Ils ont eu pitié d'elle. Ils sont allés à son secours.

« Nous avons écouté ton histoire. Ta sœur a été cruelle. Toi tu as été courageuse. »	Mars est allé jeter son bâton dans le feu. Des violettes ont poussé sur le sol.	« Merci Messieurs. Vous avez été généreux avec moi. J'ai eu de la chance de vous rencontrer. »

1. Ce texte parle-t-il du passé ? du présent ? du futur ?
2. Relève les verbes. Écris leur infinitif.
3. Comment les verbes conjugués sont-ils construits ?

verbe conjugué	infinitif
elle a marché	marcher

Je retiens

- **Le passé composé** est un temps du passé.
- C'est une conjugaison **composée** de deux parties :
  – d'abord **être** ou **avoir**, conjugué au présent : j'**ai** marché, je **suis** allé
  – puis **le participe passé** du verbe conjugué : j'ai **marché**, je suis **allé**.

À suivre au CE2.

1 Complète les tableaux de conjugaison.

marcher		être		avoir	
j'ai marché	nous avons marché	j'ai été	nous avons été	j'ai eu	nous ...
tu as ...	vous ...	tu ...	vous ...	tu as eu	vous ...
il ...	ils ...	il ...	ils ...	il a ...	ils ont eu
elle a marché	elles ont marché	elle ...	elles ...	elle ...	elles ont eu

2 Voici la conjugaison du verbe *aller*. Quelles différences vois-tu ?

je suis allé	tu es allé	il est allé	nous sommes allés	vous êtes allés	ils sont allés
je suis allée	tu es allée	elle est allée	nous sommes allées	vous êtes allées	elles sont allées

12 Les douze géants (10)

Dans la chaumière, la mère guette à la fenêtre, rongée d'inquiétude.
Où est sa fille chérie ? N'y tenant plus, elle chausse ses bottes
et s'en va dans la bourrasque.
On ne l'a pas revue cette nuit-là.
Mariya a si bon cœur qu'elle s'en inquiète. Le lendemain, la tempête
apaisée, elle grimpe jusqu'à la clairière des géants, appelant l'une
et l'autre. Elle ne les trouve pas. Nulle trace même des douze géants.
La tempête a tout emporté.
Mariya comprend qu'elle vivra désormais seule dans la chaumière.
Anastasia et sa mère ne la tourmenteront plus.
Elle guette le printemps, qui est le commencement de tout.
Et vous savez quoi, les enfants ? Cette année-là, en mars, des milliers
de violettes ont tapissé les prairies alentour. *Oui, Nina,
comme au fond du jardin d'Oma.*

• les violettes ont tapissé les prairies : elles ont recouvert les prairies comme avec un tapis.

1. Pourquoi Mariya va-t-elle à la clairière des géants pour rechercher Anastasia et sa mère ?
2. Explique la phrase :
   Mariya comprend qu'elle vivra désormais seule.
3. Comment comprends-tu :
   le printemps qui est le commencement de tout ?

cahier 2 p. 86

Un mot peut avoir plusieurs sens

Ce matin, j'ai demandé à Hugo de me prêter sa chemise pour y mettre mes feuilles.

1. À quoi pense l'enfant qui parle ? À quoi pense celui qui écoute ? Ces enfants se comprennent-il ?

2. À quoi peux-tu penser si on te dit :
   – Ce matin j'ai écrit une lettre.
   – Le maitre nous a demandé de dessiner une figure.
   – La souris ne marche pas.

3. Le mot *carte* a deux sens.
   Donne oralement une phrase exemple pour chaque sens.

carte *nom féminin*
1. Dessin qui représente un pays avec ses villes, ses routes, ses rivières, ses montagnes.
2. Petit rectangle en carton sur lequel il y a un dessin et qui sert à jouer.

4. Lis ces articles de dictionnaire.
   Combien de sens a chaque mot défini ?

irriter verbe
1. Irriter, c'est énerver, mettre en colère. *Capucine irrite sa grand-mère en posant tout le temps des questions.* ■ Tu peux dire aussi **agacer**.
2. Irriter, c'est piquer, faire un peu mal. *La fumée m'irrite la gorge.*

rayon nom masculin
1. Un rayon, c'est une tige de métal qui va du milieu d'une roue de bicyclette jusqu'au bord.
2. Un rayon, c'est une longue bande de lumière.
3. Un rayon, c'est une partie d'un magasin où l'on vend des objets de la même sorte.

Le Robert Benjamin, 2014

Quel sens correspond aux phrases suivantes :

a. Ne frotte pas tes yeux avec tes mains pleines de sable, tu vas les irriter.
b. Elle était aimable, généreuse, serviable. Tout cela irritait fort la mère.
c. Un rayon de soleil traverse les nuages.
d. Le rayon des céréales est juste derrière le rayon des boissons.
e. Pour changer un rayon cassé, il faut démonter la roue du vélo.

Je retiens

Quand un mot a plusieurs sens,
c'est le reste de la phrase qui m'aide à comprendre son sens.
Je le vérifie dans un dictionnaire.

12 Les accords que je connais

- Le nom s'accorde au singulier et au pluriel avec son déterminant.
  le chat() les chat(s) une fleur() des fleur(s)

1 J'écris un déterminant qui convient.

… forêts – … arbre – … feuille – … renards – … champignons – … oiseaux

- L'adjectif qualificatif s'accorde avec le nom qu'il précise au masculin et au féminin, et au singulier et au pluriel.
  un vent() froid() des vent(s) froid(s) une boisson() froid(e) des boisson(s) froid(es)

2 Je recopie avec l'adjectif qualificatif qui convient.

(*vert – verte – verts – vertes*) des billes … – (*ainé – ainée – ainés – ainées*) un frère …

3 Je récris les phrases : je mets les noms en bleu au pluriel.

On recherche un trésor perdu dans la mer. Le bateau est secoué par une énorme vague.

- L'adjectif qualificatif placé après le verbe *être* s'accorde avec le sujet du verbe.
  Le gouter() est prêt(). Les assiette(s) sont plein(es). Notre voiture() est neuv(e).

4 Je recopie avec l'adjectif qualificatif qui convient.

(*court – courte – courts – courtes*) En hiver, les jours sont … .
(*doré – dorée – dorés – dorées*) J'aime les tartes quand la pâte est … .

- Le verbe s'accorde avec son sujet.
  Le géant() travers(e) la ville. Les géant(s) travers(ent) la ville.

5 J'écris un sujet qui convient.

… roulaient trop vite.
… arrivera demain.
… a joué avec son nouveau jeu.
… chantent tout le temps.

- Les pronoms *il*, *elle*, *ils*, *elles* s'accordent avec le nom qu'ils reprennent. Ils commandent l'accord du verbe. Ce sont les sujets du verbe.
  Les violette(s) pouss(ent). Elle(s) donn(ent) un parfum puissant.

6 Je complète : j'écris le pronom qui convient.

Les avions font de très longs trajets. … transportent des gens mais aussi des marchandises. Le pilote doit être attentif. … a une grande responsabilité.

J'apprends à composer une affiche

Je compare l'article du journal et l'affiche.
Quelles informations de l'article sont reprises dans l'affiche ?
Qu'est-ce que l'affiche ajoute ? Pourquoi ?
Pourquoi tout n'est-il pas écrit de la même façon sur l'affiche ?

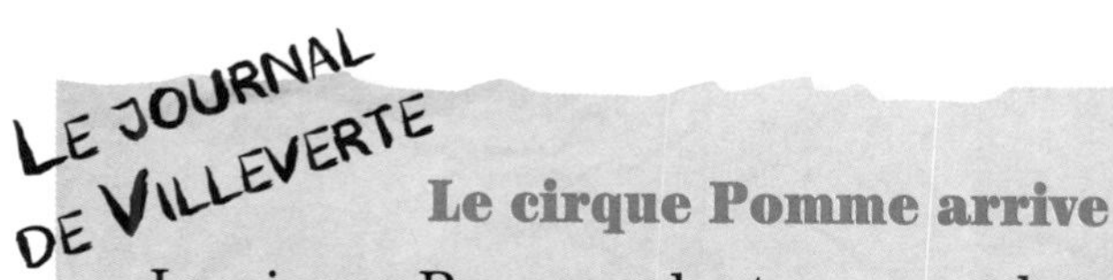

LE JOURNAL DE VILLEVERTE

Le cirque Pomme arrive

Le cirque Pomme plantera son chapiteau dans notre village du 17 au 24 mai, pour le plaisir des petits et des grands.
Il s'installera sur la place de la Forêt.
Les spectacles auront lieu tous les soirs à 19 h.
De 10 h à 18 h, tous les jours, on pourra découvrir la ménagerie, avec ses animaux artistes que l'on n'a pas souvent l'occasion de rencontrer : deux tigres blancs, un éléphant, un zèbre, des lamas, et le roi du cirque, le lion.
L'entrée de la ménagerie est gratuite.

TABLE DES ILLUSTRATIONS

CHEF DE PROJET : Sylvie Grange
ÉDITION : Brigitte Brisse - Marie Bouvet-Landat
MAQUETTE : Stéphanie Hamel - Sophie Duclos
MISE EN PAGE : Librairie Nationale, Abdelkrim Boutaïb
ICONOGRAPHIE : Hatier illustrations, Julie Sirdey
ILLUSTRATEURS : p. 5, 7, 25 à 35, 73, 81 à 95, 125, 127, 137, 141, 143 : Éva Chatelain ; p. 15, 17, 19, 21, 23, 36 à 68 : Émilie Angebault ; p. à 117 : Émilie Angebault et Jean-Luc Boiré (colorisation) ; p. 4, 6, 8, 10, 12, 14, 16, 18, 20, 22 : Vincent Mathy ; p. 120 : Joëlle Passeron ; p. 122, 124, 126, 128, 132, 134, 136, 138 à 140 : Sacha Poliakova ; . 75, 79 : Annette Boisnard. Coccinelle : Ariane Pinel.
Vignettes : Annette Boisnard et trois autres illustrateurs.

Achevé d'imprimer en Italie par STIGE - Dépôt légal n° 98805-9/08 - Avril 2020